Coordenadora editorial: Tânia Lins
Coordenador de comunicação: Marcio Lipari
Capa e projeto gráfico: Jaqueline Kir
Diagramação: Rafael Rojas
Preparação e revisão: Equipe Vida & Consciência

1ª edição — 16ª impressão
7.000 exemplares — outubro 2023
Tiragem total: 198.100 exemplares

CIP-Brasil — Catalogação na Publicação
(Sindicato Nacional dos Editores de Livros, RJ)

G232v

Gasparetto, Zibia,
Vá em frente! : não deixe nada pra depois / Zibia Gasparetto. 1. ed. reimpr. — São Paulo: Centro de Estudos Vida & Consciência, 2016.
224 p. ; 21 cm.

ISBN 978-85-7722-513-2

1. Espiritualidade. I. Título.

16-37098 CDD: 291.4
CDU: 291.4

Este livro adota as regras do novo acordo ortográfico (2009).

Vida & Consciência Editora e Distribuidora Ltda.
Rua das Oiticicas, 75 – Parque Jabaquara – São Paulo – SP – Brasil
CEP 04346-090
editora@vidaeconsciencia.com.br
www.vidaeconsciencia.com.br

ZIBIA GASPARETTO

VÁ EM FRENTE!

Não deixe nada pra depois

APRESENTAÇÃO

Hoje, eu acordei, abri a janela do quarto, me deparei com uma árvore cheia de flores em meu jardim e fiquei de bem com a vida! A beleza toca a alma, traz alegria e inspira bons pensamentos e muita paz.

Por que será que as pessoas em nosso país preferem dar ênfase aos acontecimentos ruins, em vez de priorizarem o bem? Estariam elas imaginando que, agindo assim, impediriam que esses fatos continuassem acontecendo?

Observando os meios de comunicação — os jornais, as revistas e até a televisão —, percebemos que os comunicadores, até com certo prazer, mencionam os crimes, os desastres, as dificuldades, as epidemias, priorizando as desgraças da humanidade. Essas atitudes negativas destroem nossa ousadia e fecham todos os nossos caminhos.

Obviamente, todos esses assuntos precisam ser estudados e entendidos, para buscarmos soluções. Nesse processo, cada um precisa ser flexível, debater ideias, avaliar possibilidades, com isenção e naturalidade, e participar como puder, valorizando a união de todos na busca de um consenso verdadeiro e de ideias que promovam o progresso que desejamos obter.

Não basta querer! É preciso sair da mesmice, aceitar as mudanças necessárias, ousar.

Priorizar o mal faz surgir o medo. Esse sentimento é profundamente negativo, e as pessoas não raciocinam mais de forma adequada. O temor provoca sensações fortes que dificultam, criam mais negatividade, as impedindo de enxergar a verdade.

Enquanto isso, estamos vendo o nosso país aviltado, onde o progresso está à revelia, os negócios estão difíceis, o desemprego tem desesperado os pais de família e onde os jovens estão limitados, sem possibilidades de estudar, fazer uma faculdade, desenvolver seus dons e criar projetos para obter um futuro melhor.

Na semana passada, vi na televisão uma mulher, no corredor de um hospital, com o braço quebrado há mais de um ano, esperando para ser atendida. Ao mesmo tempo, vemos alguns políticos, ligados a algumas empresas, surrupiando o dinheiro da Petrobrás. Isso nos mostra que as coisas estão erradas em nosso país. É hora de mudar! Mas brigar e prender os ladrões — embora seja algo necessário — não serão atitudes suficientes para fazer o progresso e o bem-estar social voltarem a ser conquistados. O momento é de urgência e de união!

É preciso agir com competência e coragem! Ter vontade para enfrentar os problemas do país e participar como souber ou puder, mas dando sua contribuição. Ela é necessária para engrossar as fileiras dos que, como nós, amam nosso país e desejam colaborar para que todas as mudanças necessárias se realizem.

Agora é a hora das mudanças! É o momento de estudarmos as leis do país e decidirmos qual é o caminho melhor. A democracia ainda é a melhor solução. Que os nossos juristas estudem as leis e que tenhamos a chance de escolher, entre todas as possibilidades, o tipo de governo que desejamos.

A união faz a força! Nosso povo já saiu às ruas, mostrando como queremos que sejam as leis em nosso país!

No momento, ainda não temos um político lúcido, honesto, capaz, com inteligência, que possa gerenciar de forma prática e verdadeira nosso país. Mas nós somos espiritualistas e sabemos que a sabedoria da vida cuida de tudo. E que, se fizermos a nossa parte, juntos venceremos esta crise e tudo irá para o lugar certo.

Mas é preciso sair do medo, acreditar no bem e não absorver o mal de jeito nenhum. Só o bem é real e vale a pena ser mantido.

Fique na alegria, acredite no melhor, coloque-se em primeiro lugar. Você é único! É uma individualidade! Há semelhanças, mas não há duas pessoas iguais! Seu caminho é só seu e já é.

Creia no bem, cultive a fé na vida, cuide de si [você não está tirando nada de ninguém]. Seja próspero e queira tudo de bom e do melhor. Você merece!

Estude as leis da vida, comece a praticá-las e se libertará!

Espero que este livro o ajude a ter atitudes mais positivas e acreditar em seu potencial.

Com votos de alegria e luz,
Zibia Gasparetto

SUMÁRIO

1
COMO VAI A SUA VIDA?

Neste livro, você encontrará artigos que escrevi com alegria, na busca de, juntos, estudarmos a espiritualidade, os desafios do dia a dia, educando nossos espíritos para conquistar uma vida melhor.

Como vai a sua vida? Se tudo está bem, ótimo. Você possui bom senso de realidade, tem tomado decisões acertadas; quando percebe que algo deu errado, é flexível o bastante para rever suas atitudes e mudar o que não foi bom.

Mas se você não está feliz, se as coisas não dão certo, se não consegue prosperar, não adianta viver se queixando dos outros, responsabilizando-os por seus problemas, quando na verdade você é o responsável por tudo o que lhe acontece.

Você acha que não? Que seu parceiro não lhe dá o carinho que deseja, seu chefe não reconhece seu trabalho, que as pessoas à sua volta estão desejando seu mal?

Nesse caso, é melhor sentar-se em um lugar tranquilo, prestar atenção aos pensamentos que povoam sua mente. Eles lhe darão a chave para perceber de onde vem os infelizes resultados que está colhendo em sua vida.

Talvez você tenha o hábito de ficar pensando nos perigos da vida, nas dificuldades do futuro, julgando assim estar se prevenindo contra as coisas ruins. Mas essa forma de pensar atrai exatamente o que teme.

Você pode achar justo cobrar os outros por não verem a vida da mesma forma que você, sem perceber que os está invadindo, intrometendo-se em coisas que não são de sua responsabilidade, assumindo os problemas deles, ligando-se ao mal?

O mal é muito mais abrangente do que pode lhe parecer à primeira vista. Vá mais fundo na observação de suas atitudes.

Quem pensa no mal, na falta, cuidando mais do que se passa na vida alheia do que em sua própria, está deixando a maldade entrar em seu coração.

Suas energias tornam-se desagradáveis para quem se aproximar. Muitas portas vão se fechar por causa disso.

Um bom emprego, uma vida familiar equilibrada, um relacionamento afetivo, uma amizade sincera, tudo será prejudicado pela qualidade das suas energias.

Se não acredita, faça um teste. Tente ficar positivo, alegre, jogue fora todas as preocupações durante um dia inteiro e observe o resultado. Mas precisa fazer isso com sinceridade. Para facilitar, ouça uma música alegre, cante, dance, conte piadas. Enfim, tente agir da maneira que lhe for mais fácil, mas faça.

Ninguém gosta de ficar perto de alguém que só se queixa, que vê maldade em tudo, que está sempre em guarda como se o mundo todo estivesse interessado em prejudicá-lo.

Você não é tão importante assim para os outros. Eles estão mais interessados em cuidar de suas vidas, não se importam com seus problemas.

Você só é o centro do universo para si mesmo, dentro do seu mundo interior. É de sua responsabilidade tornar esse mundo melhor, entender as conquistas que já fez e os pontos fracos que precisa melhorar.

Comece gerenciando seus pensamentos. Quando eles a depreciarem, provocarem temor pelo seu desempenho, deterem-se só no que lhe falta, reaja. Não os alimente, procure ignorá-los, busque alguma coisa positiva que lhe dê prazer e lhe devolva a paz.

É um esforço que leva algum tempo para que consiga sair desse hábito pernicioso. Haverá algumas recaídas, mas se perseverar, transformará sua vida. Você se tornará uma pessoa mais alegre, terá sucesso em seus projetos.

Lembre-se, só você tem o poder de fazer isso.

Você não é tão importante assim para os outros. Eles estão mais interessados em cuidar de suas vidas, não se importam com os problemas que você tem.

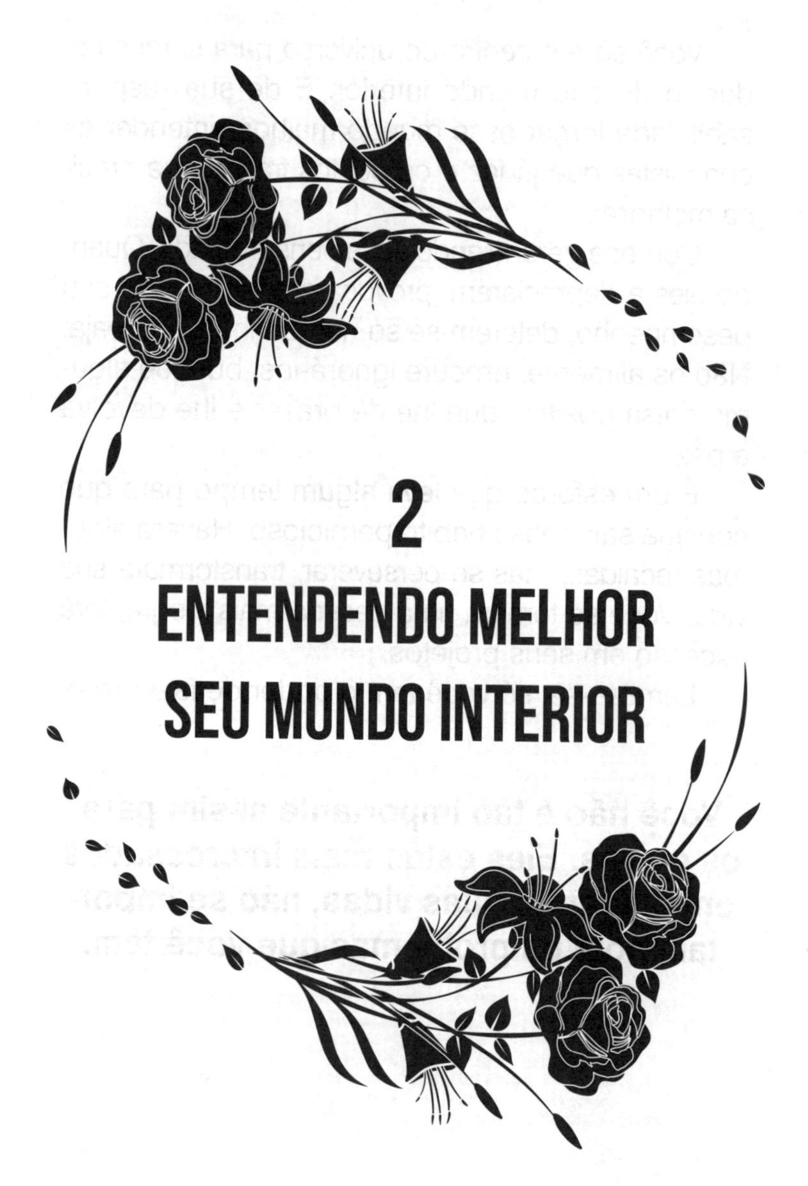

2
ENTENDENDO MELHOR SEU MUNDO INTERIOR

Quero conversar com você. Uma conversa íntima que possa chegar ao seu coração e possamos trocar ideias sobre o que se passa em seu mundo interior.

Em nosso dia a dia nos envolvemos tanto com problemas que esquecemos o quanto é importante entender nossos sentimentos, observar como vemos o mundo, as pessoas e como reagimos aos desafios que surgem nos convocando a rever nossas atitudes e escolhas em busca de soluções.

Você vai dizer que estamos vivendo em um mundo no qual temos deveres, obrigações e que precisamos nos dedicar muito para dar conta de tudo, o que é verdade. Mas é bom também indagar como você faz isso.

A maneira como você encara suas atividades normais, faz a diferença. Pare um pouco, perceba como está agindo.

Você costuma ficar todo o tempo protelando as coisas, que julga desagradáveis, sem enfrentá-las?

Fica tentando encontrar soluções para os desafios dentro da cabeça, mas não toma nenhuma atitude prática?

Para "não ficar mal" assume responsabilidades contra sua vontade?

Conta seus problemas para os outros pensando que eles têm mais capacidade que você para resolvê-los?

Precisa durante todo o tempo "provar" para os outros que você é ótimo?

Vai da euforia à depressão com facilidade, não encontrando seu ponto de equilíbrio?

Não confia em suas decisões e muda de ideia quando alguém o contradiz?

Acha que na vida tudo é difícil e precisa esforçar-se ao máximo para conseguir o que quer?

Sente vergonha de cobrar pelo seu trabalho e diz que "não liga" para o dinheiro?

Se você reconhecer que costuma manter esses pensamentos, saiba que com eles está limitando seu desempenho, atraindo o que pretende evitar, se autotorturando de maneira cruel e obstruindo seu campo mental.

Ao cultivar valores invertidos, sem perceber seus potenciais e as conquistas do seu espírito, está negando o que você é de fato e ninguém pode ser feliz vivendo dessa forma.

Em vez de continuar assim, você pode escolher um caminho melhor. Você pode descobrir seus verdadeiros sentimentos e procurar agir de acordo com eles.

Vai conseguir isso, deixando de lado o convencional, valorizando o que sente. Ligue-se ao seu mundo interior. Reveja tudo que já conquistou de bom, as aspirações de progresso que tem, sinta sua dignidade, a vontade de ser autossuficiente para comandar sua vida. Sinta que você é uma boa pessoa e sempre procura fazer o seu melhor.

Então, por que continuar se depreciando, pendurando-se nos outros? Eles estão apenas interessados em cuidar da própria vida e não têm nenhuma competência para saber o que se passa em seu coração e muito menos a possibilidade de resolver seus problemas.

Aprenda a confiar em sua intuição e na vida porque ela sempre responde ao que você precisa. Não cuidou de você mesmo antes de nascer? Não cuidou quando estava no ventre materno? Não cuida ainda quando seu corpo dorme todas as noites? Não vai cuidar do seu espírito depois da morte do corpo?

Confie em você, em seus critérios, sinta como é uma pessoa forte, jogue fora as dúvidas, os pensamentos ruins que atraem coisas desagradáveis.

Você é um espírito eterno, criado perfeito pela inteligência divina. Para ser feliz precisa tomar consciência de todo o bem já conquistado e dos pontos fracos que só estão aí por causa do que você ainda ignora. Abra seu espírito, enxergue a vida como ela é, sinta sua verdade e vá em frente. Você pode. O mérito será todo seu!

O espírito é eterno e o tempo não conta. O que vale é desenvolver a consciência, crescer, aprender a ser feliz.

3

CONFIAR NA SABEDORIA DA VIDA

Diante de tantas notícias ruins que circulam por toda parte, muitas das quais são repetidas inúmeras vezes pela mídia, o pessimismo toma conta da maioria das pessoas, que se impressionam diante de tanta maldade, valorizada pelo sensacionalismo daqueles que, a pretexto de informar, esmiuçam detalhes dos fatos, explorando-os ao máximo.

A liberdade de bem informar é válida, mas o exagero de parte dos informantes não se justifica. Espalhar energias negativas veicula o mal, e não beneficia ninguém, ao contrário.

Um tempo atrás, durante meu programa na Escola da Vida, uma senhora ligou para pedir ajuda, porquanto seu filho com mais de vinte anos de idade fixou-se no caso de um sequestro cujo desfecho deu-se de maneira trágica; leu todos os jornais, assistiu a todos os programas de TV, só falava nesse assunto, como se sua vida se resumisse nesse fato.

Quando a mãe o advertia que dessa forma poderia captar energias negativas, ele alegava que como não acreditava em nada, nem em Deus, não corria esse perigo.

Só que chegou um momento em que ele começou a passar mal, dizendo que sentia um odor de morte e que parecia que tinha chegado a hora dele. Ela me perguntou o que poderia fazer para ajudá-lo.

Essa foi uma pergunta difícil. Ele é descrente, impressionou-se com os fatos, deve ter entrado no julgamento, fazendo críticas, dando opiniões de como o caso deveria ser resolvido etc. Como ele, deveria ter muitas pessoas fazendo a mesma coisa, o que deve ter criado formas-pensamento ruins, agitação, lembranças de outros acontecimentos trágicos, atraindo muitos espíritos "justiceiros" que fazem parte de uma falange astral que não quer esperar que a vida responda aos fatos e desejam fazer justiça com as próprias mãos.

Felizmente, eles só conseguem envolver aqueles que, invigilantes, entram no negativismo, facilitando o assédio.

Esse rapaz ligou-se, voluntariamente, a tudo isso e captou energias ruins que desequilibraram seu corpo físico, causando mal-estar e a proximidade de espíritos vingativos cujo pensamento, revivendo as tragédias de suas vidas, o fizeram sentir a proximidade da morte, do mal.

Quando há um espírito ligado ao nosso psiquismo, nós sentimos o que ele sente, mas como se fosse nosso. Só os que conhecem bem a mediunidade podem diferenciar essas interferências, e libertar-se delas.

Nessa circunstância, só pude responder a essa mãe que de nada adiantaria ela conversar com seu filho, explicar todos esses fatos, pedir-lhe que fosse buscar ajuda especializada em um centro espírita, porque ele não aceitaria e até poderia piorar emocionalmente, uma vez que os espíritos que o assediaram estão se aproveitando das energias dele para alcançar seus objetivos.

O que pode funcionar nesse caso é a mãe elevar seu espírito na ligação com Deus, e quando sentir que está recebendo energias boas, mentalizar o filho com amor, mandando-lhe pensamentos de alegria e luz.

Não estou dizendo que devemos ignorar os fatos ruins que acontecem no dia a dia. Podemos tomar conhecimento, acompanhar os fatos, mas sem entrar na perturbação.

A vida tem razões que desconhecemos, e se Deus permite certos acontecimentos é porque eles vão contribuir para o amadurecimento dos envolvidos.

Nós não temos elementos para julgar nada nem ninguém. Só sabemos o que parece e ignoramos os fatos que deram origem a esses acontecimentos.

Diante de um mal que não podemos evitar, vamos procurar manter o equilíbrio, confiando na sabedoria da vida.

Esqueça a maldade. Fique no bem, Mande luz para quem precisa. Vamos jogar energia de paz.

4

ÉPOCA AGITADA

Estamos vivendo uma época muito agitada. Olhando a fisionomia das pessoas em volta notamos o quanto estão apressadas, irritadas, insatisfeitas, correndo de um lado para outro, estressadas.

Com essas energias alimentadas pela maioria, circulando à nossa volta, é muito fácil você contagiar-se, perder a serenidade, e mesmo sem haver um motivo maior, acabar desequilibrado e infeliz.

Se isso já está acontecendo, é hora de saber: cada pensamento a que dermos importância tem um teor de energias que atua sobre nosso corpo físico, emocional e espiritual, de acordo com sua essência, provocando reações.

Se não acredita, faça uma experiência. Pense em alguma coisa muito boa que já lhe aconteceu e sinta a sensação. Certamente será prazerosa, lhe dará alegria, bem-estar, entusiasmo, vontade de melhorar, crescer.

Para ir em sentido contrário basta dar uma olhada nos meios de comunicação, onde a preferência é noticiar a maldade dos ignorantes (os que não sabem disso) e logo sentirá o mal-estar: desânimo, vontade de não fazer nada, medo, indisposição, enjoo, peso no corpo, dores de cabeça, atordoamento.

Fica muito claro a necessidade de não entrar no negativismo, ser otimista, confiar na vida, manter o bom humor, esforçar-se para conservar a serenidade. É preciso ficar atento, procurar não se deter nem se impressionar com os problemas dos outros, mesmo porque mergulhar neles, além de não ajudar os envolvidos, vai prejudicar seu equilíbrio e sua saúde. Você não está aqui para salvar o mundo porque a vida tem seus próprios recursos e cuida de tudo de forma perfeita.

Se você está tocado em sua generosidade e deseja contribuir para o progresso da humanidade, cuide do próprio equilíbrio, seja uma pessoa do bem, coopere com o planeta fazendo sua parte. Distribua seu conhecimento abrindo oportunidades para que algumas pessoas desenvolvam seus potenciais e progridam.

Se sua alma se emociona com as limitações e os sofrimentos das pessoas, escolha ser voluntário, dedicando um pouco do seu tempo para prestar serviço e dar o seu amor. Agindo assim, se sentirá útil, gratificado, granjeará amigos, se sentirá bem.

Ser mais otimista, manter o próprio equilíbrio, esforçar-se para ser uma pessoa do bem, vai melhorar sua qualidade de vida e lhe dará mais força para vencer os desafios do próprio amadurecimento.

E, se estudar a espiritualidade, vai obter a certeza da continuidade da vida após a morte. Vai saber que está vivendo aqui para desenvolver sua consciência, conquistar a sabedoria. Entenderá que você já viveu outras encarnações neste mundo e ainda voltará a ele mais vezes para evoluir. Essa é a finalidade da vida, e é essa certeza que lhe abrirá as portas do progresso e da luz.

Ao chegar a essa conclusão, sentirá uma imensa alegria de viver, muita gratidão para com este planeta maravilhoso que nos abriga. Ele nos deu tudo: desde a formação do nosso corpo, do ar que respiramos, dos alimentos que nos sustentam. Os animais que nos auxiliam incondicionalmente, o sol que nos aquece, o mar, a vegetação, as flores, a beleza de um céu estrelado e tantas outras coisas que nem notamos.

E sentirá despertar em seu coração o desejo de cooperar com a vida, com o planeta, para que ele possa continuar abrigando tantas almas na construção de um mundo melhor.

Não entre no mal porque ele já está condenado a desaparecer. Chega de sofrer, estamos na era da inteligência, do discernimento e da conquista da sabedoria. Acorde. Seja você um agente do progresso, torne-se imune às investidas das energias negativas e tenha uma vida melhor.

Precisamos aprender a cultivar o bem-estar. Nada é mais importante. Quando você está bem, atrai o melhor na vida.

5
À PROCURA DE UM AMOR

Tenho notado que a maioria das mulheres busca ansiosamente encontrar um amor. Insatisfeitas, carentes de afeto, sonham um dia encontrar alguém que venha a suprir essa necessidade.

Enquanto esperam, entram no mundo da fantasia, imaginando como será esse príncipe encantado que corresponderá aos seus desejos e lhe proporcionará uma vida plena de felicidade.

Ao conhecer alguém que desperte sua atenção, imediatamente o colocará no centro de sua fantasia, acreditando que sente um amor verdadeiro e definitivo.

Se não for correspondida, mergulhará na depressão durante certo tempo, até pelo menos encontrar outra pessoa e então, tudo vai recomeçar. Mas a insatisfação continua.

Se for correspondida, talvez seja até pior, porquanto a ilusão que cultiva vai impedir uma troca de afeto verdadeira sem o qual nenhum relacionamento pode dar certo.

Se você está passando por esse problema, se acredita que não tem sorte no amor, seria bom parar, analisar como você lida com sua afetividade.

A ilusão maior é acreditar que outra pessoa possa alimentar sua carência de afeto. É muito bom quando se vive um amor de verdade, mas isso só acontece quando você tem um bom senso de realidade.

A carência de afeto acontece quando você não expressa o imenso amor que guarda dentro de si.

Você precisa dar amor, não receber. É muito prazeroso sentir amor em suas várias formas de manifestação.

É deixar de procurar no outro o que ele nunca será capaz de lhe dar, e desenvolver esses sentimentos em você, manifestando-os em tudo que fizer, como cuidar da sua saúde, da sua beleza física, alimentar seu espírito aumentando seu conhecimento de assuntos que lhe causam prazer. Tudo isso causa grande bem-estar. Cultivar a beleza em tudo que fizer, faz muita diferença.

Se você é uma profissional insatisfeita com a carreira que escolheu, não tenha receio de trocá-la. Sinta no coração qual a sua verdadeira vocação e mesmo que tenha de estudar mais, de mudar tudo, faça isso porque o prazer de sentir amor pelo que faz supera todas as dificuldades. Se você cuida de sua família e dos afazeres domésticos, é uma excelente oportunidade de dar amor.

Se sentir certa timidez, pela falta de hábito, arranje um cachorro, eles são mestres em nos ensinar a dar amor.

Claro que você pode desejar um amor, mas enquanto o espera, faça sua parte, expressando em todas as coisas o imenso amor que você guarda dentro de si.

Quando você está sentindo amor, irradia luz e torna-se uma pessoa muito agradável. Vai notar que os outros terão prazer em estar do seu lado. Sua vida se tornará mais alegre e sua intuição mais clara. Ficará mais sensível às energias que a cercam a ponto de perceber se uma pessoa é confiável ou não.

Você vai se sentir tão bem, tão nutrida a ponto de não precisar nada dos outros, então estará pronta para encontrar o parceiro certo. Você não vai mais projetar nele suas ilusões, mas sim vê-lo como ele é, com suas qualidades e seus pontos fracos.

Agindo assim, vai ser sincera, evitando certas artimanhas que muitas mulheres gostam de usar, mas que só atrapalham, e vai construir sua felicidade de maneira equilibrada e produtiva.

Dessa forma, ele se sentirá feliz por conviver com uma mulher afetuosa sem apego, que confia em si e para quem ele não vai precisar dizer todos os dias que a ama.

Em vez disso, ele terá uma companheira prática, que faz da vida de ambos um mundo de beleza e de alegria; viverá um relacionamento sólido, bom, que será infinito enquanto dure.

No fundo, no fundo, não é isso mesmo o que você procura?

Para que um relacionamento seja bom, as pessoas precisam ser verdadeiras.

6

UM CASO DE XENOGLOSSIA

Certa noite, eu acordei de madrugada sentindo o corpo todo dormente e uma inquietação insuportável. Meus dentes batiam como se eu estivesse com frio, sem que conseguisse me controlar. Eu estava lúcida, observando tudo, mas não tinha nenhum controle sobre meu corpo. Levantei-me e minha boca falava um idioma desconhecido e eu não entendia nenhuma palavra.

Meu marido acordou assustado, tentou conversar, mas eu continuava falando, caminhando pelo quarto ao lado, onde meus dois filhos pequenos dormiam; indo e vindo, sempre falando.

Sem saber o que fazer, Aldo Luiz abriu a janela e chamou uma vizinha [nós morávamos em um sobrado geminado] que veio em nosso socorro. Assim que chegou, ela logo informou:

— Isso é coisa de espírito. Ela está "tomada". Vamos rezar.

Eles rezaram e então eu voltei ao normal. Essa foi minha primeira experiência com os espíritos. A partir daí, tudo mudou em nossa vida. Nós nos conhecíamos fazia oito anos, estávamos casados havia quatro. Aldo Luiz sabia que eu era razoavelmente equilibrada. Ao me ver falando em alemão, um idioma que eu nunca tinha estudado, não duvidou que eu fora envolvida por um espírito.

Dali em diante, começamos a estudar o espiritismo, onde encontramos muitas respostas às nossas indagações. Descobrimos que há livros de estudiosos, pesquisadores sérios, que nos esclareceram ainda mais sobre o assunto.

O fenômeno de xenoglossia [falar idiomas que a pessoa não conhece] aconteceu comigo algumas vezes, sempre fugindo ao meu controle e de forma inesperada. Minha boca falava, eu não entendia o que estava dizendo.

No início custei a crer que tivesse sentido. Mas como havia mais pessoas por perto, houve quem entendesse, traduzisse e então não tive mais como duvidar. Foram traduzidas mensagens em alemão, russo, ucraniano, africano e também em hebraico e iídiche — idioma dos judeus.

Eu tinha 24 anos, sempre fui exuberante, amava dançar, sair, viver a vida plenamente. Meu marido também gostava, mas os filhos pequenos nos impediam de satisfazer esses desejos. Naquele tempo, quando eu tinha com quem deixar os meninos, preferia ir dançar, ou ir ao cinema, em vez de me dedicar aos assuntos espirituais, mesmo acreditando nos espíritos.

Minha sensibilidade abriu e a presença de espíritos desequilibrados me deixava mal. De repente, sem motivo, sentia tonturas, enjoo, irritação, sensação de desmaio. Corria ao médico que não encontrava nada, receitava calmantes que sempre me deixavam pior.

Eu imaginava que um espírito não tivesse o poder de causar dor ou mal-estar físico, mas tive de admitir que eles podem fazer isso apenas se aproximando de nós. A troca energética, entre nós e eles, é uma realidade incontestável.

O espírito Lucius, além de ditar suas histórias, me ensinou que eu precisava equilibrar meu emocional se quisesse manter o bem-estar. Dramatizar os fatos, ignorar o próprio poder, julgar-se fraca é abrir as portas às energias intrusas e desagradáveis que nos circundam.

Esforcei-me para valorizar meu mundo interior, olhar a vida sob a óptica espiritual, usar o próprio poder para ficar no bem e reencontrei o bem-estar e a alegria de viver.

Estou lhe contando tudo isso porque recebo muitos pedidos de ajuda dos que sofrem o assédio das energias ruins que estão à sua volta e desconhecem essa realidade. Em lugar de escrever um artigo ou responder a uma carta, resolvi relatar minha experiência.

Em vez de pedir uma ajuda que só você tem condições de se dar, trate de desenvolver sua força interior, usar o poder que a vida lhe deu para ficar no bem, ser positivo, desejar o melhor e fazer acontecer. Você pode!

Quando a pessoa experimenta e faz, acontece. Você precisa experimentar para saber o que funciona, de fato, na sua vida.

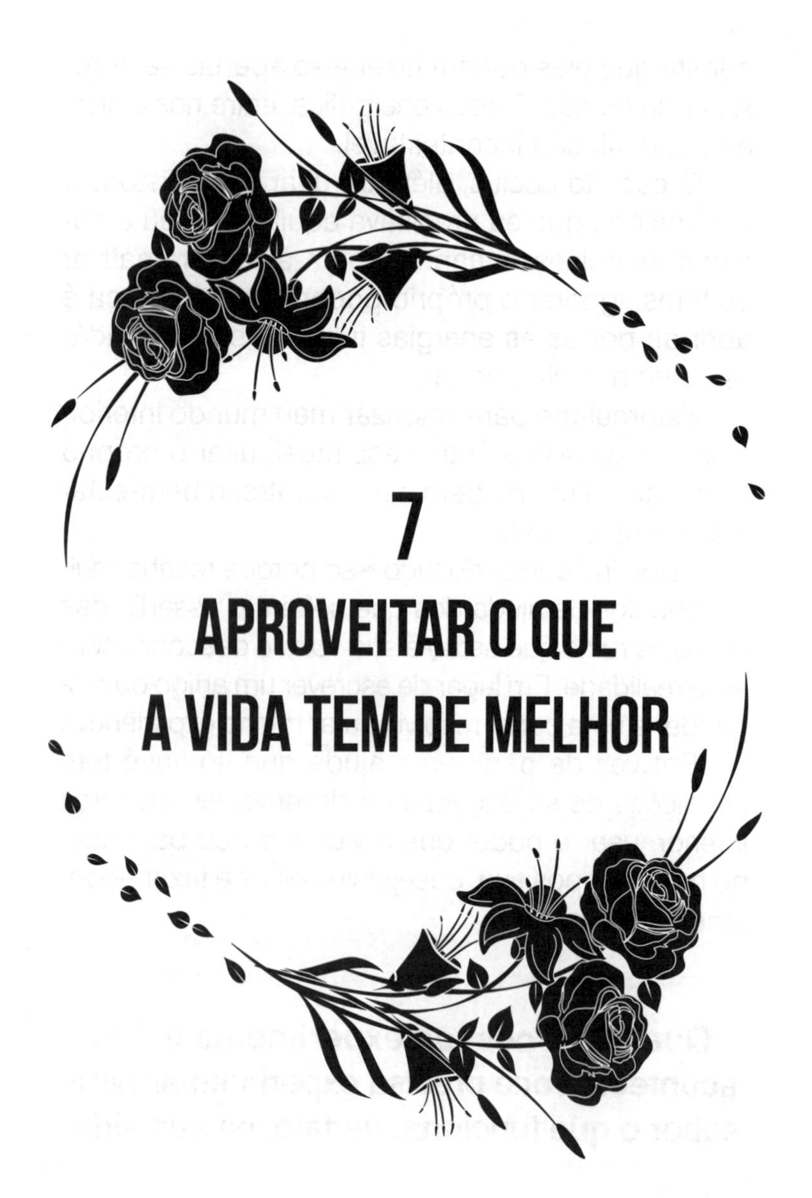

7

APROVEITAR O QUE A VIDA TEM DE MELHOR

O progresso aproximou os povos; qualquer fato que ocorra em qualquer lugar do mundo é imediatamente divulgado pela mídia, nos mínimos detalhes.

Os escândalos, as tragédias, as doenças, a corrupção, a ambição desmedida de líderes políticos que levam às guerras nos mostram que, apesar do progresso alcançado, muitos ainda estão distantes da ética e da conquista do equilíbrio espiritual.

No noticiário, o destaque maior é dado aos assuntos dolorosos, à violência, à maldade. Os fatos positivos não são valorizados pela mídia. Por quê?

A resposta é rápida e clara: somos nós que aprendemos a valorizar o drama, a dor, o sofrimento. A mídia nos oferece o que queremos ver.

Essa curiosidade mórbida é um traço forte em nossa cultura, alimentada durante séculos pelas religiões dominantes com a finalidade de nos monopolizar. Elas nos fizeram sentir culpa desde o nascimento, ignoraram nosso poder pessoal, colocando o sofrimento como necessidade de elevação espiritual, o dinheiro como um mal, para nos tornar dependentes de seus líderes.

Os homens amadureceram e perceberam que Deus está dentro de si e não precisam de intermediários para se ligar com a espiritualidade. Hoje, somos cidadãos do mundo e é hora de mudar essas crenças antigas que nos limitam e deprimem.

Queremos conquistar a felicidade, sabemos que possuímos um potencial imenso a ser desenvolvido, acreditamos que o mundo pode se tornar melhor à medida que as pessoas jogam fora as falsas crenças e buscam mais qualidade de vida.

A Nova Era se aproxima. Nunca houve tantos pesquisadores estudando o comportamento humano, há cientistas em todas as áreas do conhecimento abrindo possibilidades novas, facilitando o dia a dia das pessoas, curando doenças, melhorando a qualidade de vida.

E você? O que está fazendo para usufruir dos benefícios que a vida está lhe trazendo? Continua cultivando os velhos padrões de pensamento?

O amadurecimento do espírito e a conquista do equilíbrio têm um preço que você terá de pagar. Não há como fugir. É hora da verdade e se não for por bem, a vida vai empurrar você de um jeito ou de outro, rumo ao crescimento.

Se você deseja evitar sofrimentos, é preciso prestar atenção aos padrões de pensamentos que cultiva. Jogar fora pensamentos negativos como a crítica, a maldade, o julgamento, tanto dos outros como de si mesmo. Um hábito cultivado durante séculos leva algum tempo para ser eliminado; por esse motivo, você há que ser persistente.

Uma boa dica, que poderá lhe ajudar bastante: faça uma lista, anote todas as coisas boas que já tem, porque o otimismo, a generosidade e a valorização de suas qualidades abrem as portas da prosperidade, trazem alegria, prazer, bem-estar.

Não tenha a pretensão de "salvar" o mundo, pare de criticar os políticos, os governantes, o trânsito, as celebridades. Você não sabe o que é estar na pele deles, nem os problemas que estão enfrentando.

Não espalhe energias ruins que não vão melhorar as coisas e sim prejudicá-las ainda mais. Faça a sua parte. Reze por eles, mentalize luz e amor, pois agindo assim estará fazendo o melhor e ficará em paz.

Mudando seu padrão mental, algumas pessoas se afastarão, mas outras virão, mais afins com você. Se houver em sua família pessoas que cultivam antigas crenças e você não consiga evitar o contato com elas, procure ignorar o lado negativo delas, enviando-lhes pensamentos de luz e de amor.

Se você ainda não está consciente da Nova Era, olhe em volta e perceberá os sinais que a vida está lhe enviando para que ingresse o quanto antes no movimento libertador que transformará sua vida.

Cultive os valores eternos da alma. Os pontos fracos são temporários. Aprenda com os erros. Vá em frente! Você merece ser feliz!

Quando você é verdadeiro, se valoriza. Agindo dessa maneira, você se liga com a alma e faz brilhar a sua luz.

8

CUIDADO COM A FOFOCA!

Há pessoas que se aproximam de você, olhos brilhantes de prazer em tom coloquial dizendo:

— Você já sabe o que aconteceu com fulano?

Em seguida, detalham o acidente, a tragédia, a traição, o erro...

A tentação e o prazer de uma fofoca fascinam e, nessa hora, eles não querem saber se o que vão passar adiante é verdade ou não. Querem apenas usufruir de algo que lhes é prazeroso, satisfazer o próprio ego, provando que são bem informadas.

Tentam justificar essa atitude leviana alegando que desejam "alertar", "esclarecer" e "prevenir".

Cultivar a maldade, a crítica é entrar no mal e atrair energias negativas. A vida responde sempre de acordo com o que você acredita. Cuidado porque quando você critica uma situação ou alguém, demonstra que não está entendendo os fatos de maneira adequada e se candidata a viver a mesma experiência que criticou.

É assim que a vida ensina cada um a enxergar as coisas como são. Ainda há quem prefira a ilusão porque acredita que a verdade seja ruim. Dessa forma prefere dar asas à imaginação, dando importância às crenças da maioria, sem testar se de fato elas funcionam, ou são verdadeiras.

Essa forma de pensar inverte os valores verdadeiros e cria uma cultura de fachada que limita o progresso e coloca a pessoa em um círculo vicioso, entre dois extremos: um de depressão e o outro de euforia. Os extremos são frutos da ilusão, nunca expressam a verdade.

Quando você está em depressão, não vê suas qualidades, não valoriza as possibilidades que a vida lhe oferece, nem nota que o corpo é uma máquina perfeita que lhe foi oferecida para poder viver neste mundo e progredir. Só vê o que falta, e sempre parece que você se encontra em um beco sem saída.

Quando deixa a depressão, vai para o lado oposto. Entra na euforia. Como está fora da realidade, não conhece seu mundo interior e não sabe até onde pode ir com segurança, exagera e se envolve com coisas que estão muito além das suas possibilidades.

Claro que nas duas situações nunca estará bem. Será sempre candidato à desilusão, porquanto a vida insiste em levar você para a realidade.

Dentro desse processo você pode permanecer durante muito tempo, por várias encarnações. Pode até ser necessário que a vida coloque no seu caminho uma tragédia, uma dor, um fato que o faça acordar, desejar mudar para seguir adiante.

É na análise de suas crenças, pesquisando a verdade, saindo dos chavões culturais, das enganosas artimanhas do pensamento, mergulhando em seus sentimentos que você poderá começar a encontrar elementos que o libertarão, sem ser necessário passar por desafios mais radicais.

A abertura da consciência, a percepção de seu mundo interior, fará você ficar centrado, mais equilibrado e dentro da realidade. Assim, você evitará julgar o comportamento alheio e não fará mais a crítica dura, implacável ao próprio desempenho, como fazia antes.

Quando você se critica, está se agredindo, jogando todo seu poder contra si mesmo. Ficar com raiva de você é muito pior do que se alguém o agredisse fisicamente. Aconteça o que acontecer, jamais fique contra você.

Errar é natural e todos nós erramos porque não sabemos todas as coisas. Não se condene. Seja paciente com seus erros, procure aprender com eles.

Medite sobre este assunto. Não acredite no que estou afirmando. Teste, experimente. Você pode. Há a possibilidade de romper com o círculo vicioso em que se encontra, sem ter de passar por uma situação de risco.

Se não o fizer, a vida vai lhe empurrar e é melhor ir pela inteligência do que ir pela dor.

As pessoas costumam afirmar que a vida é cruel, a realidade dura e que é melhor ficar na ilusão. Entretanto, essa não é a verdade. A vida age sempre de maneira certa e só trabalha para o melhor das coisas.

9

A VIDA É ETERNA

Minha crença na continuidade da vida depois da morte está alicerçada nas experiências pelas quais vivi e que comprovaram essa realidade.

Em 1962, meu filho Luiz Antônio estava com 13 anos e atravessava um período turbulento. Não ia bem nos estudos, andava impaciente, nervoso, agitado.

Na época, eu e meu marido, uma vez por semana, reuníamos os filhos durante meia hora para conversarmos sobre espiritualidade e rezar pedindo proteção e bênçãos para nossa família.

Para o Luiz Antônio, ficar meia hora quieto, rezando, era um sacrifício. Ele obedecia, mas contrariado, inquieto, de má vontade. Uma noite, pela primeira vez, observamos que ele sentou-se e ficou parado, sem se mexer durante todo o tempo. Quando encerramos nossa oração, ele deu um pulo da cadeira, dizendo:

— Que alívio! Assim que me sentei aqui alguém me segurou e eu não podia me mexer.

Algum espírito amigo fez essa brincadeira com ele. Mas esse fato nos mostrou que a sensibilidade dele estava se abrindo. Perto da minha casa morava dona Laís, uma vidente que dirigia todo o trabalho de curas da Federação Espírita.

Certa noite, ela estava ocasionalmente na Federação e sabendo que morávamos na mesma rua, nos pediu carona. Durante o trajeto, lhe pedi orientação sobre os sintomas de mediunidade de Luiz Antônio, pois ele era muito novo para desenvolvê-la.

Laís costumava fazer uma sessão espiritual em sua casa e pediu que o levasse lá na segunda-feira. Ele não queria ir.

— Você vai só hoje, ela está à sua espera — disse eu, enérgica.

Ele foi reclamando muito. Chegamos lá, fomos conduzidos a uma sala iluminada por uma luz azul, onde havia uma mesa grande e pessoas sentadas à sua volta.

Uma das cadeiras estava vazia. Laís pediu que Luiz Antônio se sentasse nela. Eu sentei-me na segunda fileira de cadeiras junto com meu filho Pedro Luiz que nos acompanhou porque que na manhã seguinte ele iria fazer uma cirurgia com anestesia geral, para retirar um nódulo do braço.

A sessão começou e logo uma médium começou a falar em uma língua estranha e para meu espanto, alguns minutos depois, Luiz Antônio começou a dialogar com ela naquele idioma. Os dois conversavam como velhos amigos, riam e eu não entendia nada. Depois, disso, havia papel e lápis sobre a mesa e ele começou a desenhar com rapidez.

Fazia tudo com muita euforia e em certo momento, ele se levantou, foi perto do Pedro Luiz e falou que ia resolver o caso dele. Disse ser um médico alemão, massageou o braço dele durante alguns segundos, depois informou:

— Não mais cirurgia. Pode ser que precise sair alguma coisa, mas o médico vai lancetar e pronto.

Eu estava muito assustada. Quando a sessão terminou, alguém perguntou:

— Era esse o médium que estávamos esperando?

— Sim — respondeu Laís — e esclareceu: — Os espíritos falaram em mandarim e são amigos há muito tempo.

Depois conversou comigo, advertindo que Luiz Antonio precisava desenvolver a mediunidade cedo porque tinha grande tarefa pela frente.

Na manhã seguinte, eu e meu marido notamos que o caroço do braço do Pedro Luiz havia murchado. Em vez de interná-lo, avisamos o médico e fomos ao seu consultório. Ele examinou o menino e queria saber o que havíamos feito. Eu disse a verdade. Então, ele passou uma pomada no local, pegou um estilete e o espremeu. Nem ponto levou. Eu guardo até hoje a guia de internação de Pedro.

Dali para frente, fomos abençoados com muitas provas da interferência dos espíritos em nossas vidas. Luiz Antonio viajou o mundo fazendo demonstrações de pintura mediúnica. Essa é outra história, que ficará para eu contar uma outra vez.

O que chamamos de liberdade nada mais é do que o poder de fazer o que nos dá prazer. E, muitas vezes, o que nos dá prazer nos aprisiona. A única liberdade verdadeira e eterna é a do nosso espírito. Essa, por mais que escravizem nosso corpo, ninguém pode roubar.

10

COMO ENFRENTAR UMA CRISE FINANCEIRA

De tempos em tempos, surge uma crise financeira sacudindo o comodismo estabelecido. Pessoas que acreditavam estar seguras no emprego, empresários que julgavam ter construído uma empresa sólida que lhes garantiria o bem-estar futuro, viam-se, de repente, vivenciando uma situação de risco, tendo de buscar novos meios para sobreviver.

Diz o ditado popular que: “Quando falta pão todos brigam e ninguém tem razão”. Assim, por causa da crise, casais se separam, famílias se desentendem, aumentam os problemas emocionais, muitos dos quais se transformam em doenças.

A perda do emprego, a falência de um negócio em que você colocou todas as expectativas, são difíceis de aceitar. Mas por outro lado, [sempre há outros lados] se você observar, notará pessoas que, mesmo com uma crise rondando, passam imunes, continuando a desfrutar da estabilidade de sempre.

O que será que elas têm que as imunizaram? Por que continuam gerindo seu negócio com sucesso ou permanecendo firmes em seus empregos?

A resposta está na forma como elas estão vendo os fatos. Em um momento de crise, os primeiros a cairem são os que dramatizam, pensam sempre no pior. Acreditam estar prevenindo-se do perigo, mas na verdade, de tanto imaginar o que não querem, acabam atraindo o que temem.

Depois, há os que estão parados em sua rotina, certos de que já conquistaram seu espaço e se acomodaram, acreditando que não precisam mais melhorar o próprio desempenho, nem fazer cursos para aumentar o nível de seus conhecimentos, ou melhorar seus produtos ou seu currículo, adequando-os às necessidades do mercado de trabalho.

Quando alguém investe em si mesmo, esforçando-se para desenvolver seus potenciais, ganha confiança em si, experiência, sente-se mais capacitado, o que lhe dará uma postura mais ativa e positiva.

A pessoa insegura não tem como ficar imune a uma crise financeira. Sua energia é fraca, não confia no próprio desempenho, e quando há o corte de funcionários na empresa, é a que sai primeiro.

A vida empresarial é uma escola que obriga os participantes a buscar o próprio progresso. Isso vale tanto para os empresários como para os assalariados.

Se é indispensável ser um bom profissional, é necessário também saber manter uma atitude ética, respeitando o espaço de cada um. A maledicência, o julgamento, a má vontade, a mesquinharia, as panelinhas e os jogos de manipulação criam desentendimentos e acabam mal.

Uma pessoa pode ter um ótimo conhecimento profissional, mas se seu emocional for desequilibrado, não vai parar muito tempo no emprego. Um empresário ganancioso, que usa de má-fé com seus clientes também não terá sucesso.

A vida, com sua sabedoria, responde a cada um de acordo com suas atitudes. Uma crise é reveladora e vai testar seu desempenho. Se você foi atingido, está desempregado, ou se seu negócio fracassou, não se deixe abater pelo desânimo. Reaja. Acredite que você pode reverter a situação.

Mas não fique parado. Analise bem suas atitudes. Seja humilde, reconheça seus erros e tente outros caminhos. O que você não sabe, pode aprender. Basta querer.

Confie que acima de tudo há uma força superior que nos guia e que está só esperando que você faça a sua parte para lhe dar todas as coisas boas que vier a merecer.

Saia do negativo, se esforce para tornar-se uma pessoa melhor, invista em você, enriqueça seu espírito. Estou certa de que assim você dará a volta por cima. São os meus votos!

Para alcançar o sucesso, o bom mesmo é acreditar na própria força e saber usá-la com inteligência, fazendo o seu melhor.

11
ELES CONTINUAM ENTRE NÓS

A intervenção dos espíritos dos que já viveram em nosso mundo é uma constante desde o começo da civilização. Eles o fazem porque, apesar de estarem vivendo em outras dimensões do universo, continuam ligados à Terra, onde deixaram laços afetivos, interesses pessoais e também porque um dia voltarão a viver aqui.

Passar uma borracha no passado, esquecer, ainda que seja durante certo tempo, os problemas não resolvidos que incomodam, por si só representa uma trégua abençoada.

Receber com o corpo de carne um cérebro virgem onde serão gravados novos valores por meio da educação, fortalece o espírito e o prepara para enfrentar os desafios do próprio amadurecimento.

É na primeira infância, até mais ou menos os 14 anos, que se pode plantar na criança os valores éticos, as vantagens do otimismo, a confiança em si mesmo e na vida.

Porque é na adolescência que o espírito encarnado toma posse completa de sua personalidade passada e suas crenças antigas vão se confrontar com os novos valores aprendidos, os quais, se forem bem fundamentados, vão torná-lo uma pessoa melhor e mais feliz.

Dá para perceber a importância da educação em todos os seus aspectos, em especial, na vivência do bem. Infelizmente, ainda não se cogitou criar uma escola para pais.

Todos desejam o melhor para seus filhos, mas ignoram a maneira adequada de lidar com eles, cujo comportamento, às vezes, desafia os seus conhecimentos.

Mesmo assim, viver na Terra é uma oportunidade maravilhosa para o espírito melhorar o senso de realidade, desenvolver a inteligência e o autoconhecimento. Esses fatores são indispensáveis à conquista do próprio desenvolvimento, do equilíbrio interior e da felicidade.

Ao regressar ao mundo astral após uma encarnação, o espírito pode observar os fatos com mais profundidade, tem a chance de reavaliar o próprio desempenho. Reconhece as conquistas, enxerga os pontos fracos.

A culpa e o arrependimento são difíceis de suportar. No mundo astral, as emoções são muito mais intensas. Arrependidos de seus erros, muitos se engajam nas equipes de socorro, prestando serviços de auxílio no umbral [situado na crosta terrestre onde vivem os espíritos doentes e perturbados] e na Terra, aos encarnados.

Há também os que continuam protegendo os que amam, inspirando-os, estimulando-os a vencer seus desafios, mas só poderão fazê-lo com a permissão dos espíritos superiores.

Claro que os espíritos rebeldes, maldosos, também interferem na vida das pessoas na Terra, e o fazem se utilizando das fraquezas de cada um, o que lhes garante fácil acesso.

Ficar no otimismo, ligar-se com Deus e ficar no bem é a melhor defesa. Buscar ajuda espiritual em um centro espírita pode ajudar.

Os espíritos continuam entre nós e, nos vinte anos em que tive um programa semanal de rádio, pedia aos ouvintes que me escrevessem caso soubessem de alguma história envolvendo a participação dos espíritos.

Recebi tantas cartas que publiquei dois livros relatando casos espetaculares. Esses livros, que têm levado conforto e esperança há muitas pessoas, também foram publicados em Portugal.

Sei que eles continuam entre nós. E, como disse Hamlet, célebre personagem criado por William Shakespeare: "Há mais coisas entre o céu e a terra do que sonha nossa vã filosofia".

No astral temos outra noção de realidade, percebemos nossos enganos. Somos os mesmos aqui e lá, mas lá a consciência é maior.

12

NÃO SE DEIXE DOMINAR PELO MEDO

Atualmente em nossa sociedade, as pessoas vivem sob o império do medo. No intento de bem informar, a mídia registra todos os fatos negativos que acontecem no mundo inteiro, enquanto as coisas positivas [que também ocorrem], quando relatadas, não têm nenhum destaque.

O progresso fez do planeta uma aldeia global e os avanços da tecnologia diminuíram as distâncias. Em segundos, todas as catástrofes que acontecem em qualquer parte estão sendo relatadas nos mínimos detalhes.

E, se os jornais impressos saem uma ou duas vezes ao dia, na televisão ou no rádio, há emissoras especializadas em noticiário, em que esses fatos são repetidos várias vezes. No rádio, há aquelas que as repetem a cada meia hora, enfatizando sempre o lado negativo.

O que dizer da violência quando o crime organizado ganha espaço, policiais trocando tiros com marginais em meio à população, balas perdidas ferindo e matando?

As pessoas tentam se proteger e se escondem cada dia mais, colocando câmeras de segurança, cercas elétricas, grades de proteção, o que nem sempre consegue evitar a audácia dos bandidos.

A gripe suína, em seguida a H1N1 e suas variantes aumentaram o medo, estressando as pessoas, a título de informação, sendo narradas de forma exagerada.

Como você está reagindo a tudo isso? Se for uma pessoa impressionável, certamente estará arrasada, com medo de sair de casa e até de receber os amigos.

Claro que você precisa cuidar da saúde, manter uma alimentação saudável, exercitar-se regularmente, procurar um médico quando precisar.

Aliás, é preciso dizer também que há na mídia um tempo dedicado ao que faz bem à saúde e à prevenção das doenças.

Mas a pessoa leiga só precisa conhecer os sintomas e a forma de evitá-las e não precisa mergulhar fundo nas UTI's dos hospitais, para se precaver.

Essa vocação de dar ênfase ao lado pior na tentativa de se prevenir não funciona. Apenas aciona o medo, que paralisa o bom senso e acaba fazendo com que os mais impressionáveis comecem a "sentir" certos sintomas que só existem em sua imaginação.

De tanto imaginar doenças, a pessoa pode atrair o que teme. O pensamento age sobre o corpo, catalisando as energias de acordo com seu teor. Quem pensa no mal, atrai o mal e vice-versa.

Reaja. Não se deixe dominar pelo medo. A vida é mais importante do que você pensa. Há uma força superior que criou o mundo e que trabalha a nosso favor.

Se você não tem fé em Deus o suficiente, comece a olhar o lado positivo das coisas. Apesar do que parece, a maioria das pessoas deseja o bem, leva uma vida digna, se esforça para fazer o seu melhor.

O mal faz muito barulho e é alardeado, mas quem o pratica é minoria. Não se deixe enganar pelas aparências. Há muita gente confiável, que leva vida normal e por esse motivo não aparece na mídia.

Não se deixe dominar pelo medo. Não dê ouvidos a essas notícias ruins. Você não precisa conhecer todos os detalhes nem sofrer com o drama dos outros. Se puder auxiliar, faça, mas o que fazer diante de fatos consumados e que não lhe dizem respeito?

Se você se comove com o sofrimento alheio e deseja ajudar, seja voluntário. Há pessoas abnegadas que trabalham em favor dos que sofrem e precisam de ajuda. Una-se a elas. Estará fazendo uma ajuda efetiva e você será o maior beneficiado.

Dar uma parte do seu tempo para ajudar quem precisa, lhe trará alegria, paz, bem-estar. Jogar fora o medo, ficar no bem, atrairá para sua vida as coisas boas que deseja.

Ao trabalhar como voluntário descobrirá quantas pessoas se dedicam com amor a essa tarefa. Retomará a confiança no ser humano, o otimismo, a alegria e se sentirá incluído entre os benfeitores da humanidade. Experimente!

Haja o que houver, não tenha medo. Confie na vida. Ligue-se a Deus, cultive a alegria; celebre a vida, pois ela lhe dará tudo quanto precisa para ficar bem e ter sucesso.

13
MEDIUNIDADE NÃO É RELIGIÃO

Em todas as épocas da história da humanidade, os espíritos desencarnados têm se comunicado, provando que a morte é apenas uma mudança de estado. Uma viagem de regresso à nossa pátria de origem em outra dimensão do universo.

Jesus afirmou que: "Há muitas moradas na casa do meu pai" e a cada dia, para quem procura estudar o assunto, essa realidade torna-se clara.

A certeza de que somos espíritos eternos e que mesmo depois de atravessarmos os portais da morte continuaremos a viver, conservando os afetos e todas as características naturais, abre as portas do nosso entendimento, fazendo-nos entender melhor os propósitos fundamentais da vida. Torna a perda dos entes queridos temporária, dá-nos o conforto de um dia poder abraçá-los novamente.

Apesar de tudo isso, muitas pessoas ainda temem estudar os fenômenos paranormais. Ter medo do desconhecido, ou de algo que foge do seu controle pode lhe parecer natural, mas cultivando esse sentimento paralisador você se priva dos benefícios de uma certeza que lhe ajudará a enfrentar os desafios do dia a dia com mais facilidade.

Talvez você esteja confundindo os fenômenos paranormais com manifestações religiosas. A mediunidade, ou o sexto sentido, nada tem a ver com religião. Trata-se de faculdades naturais inerentes ao ser humano que, dependendo da necessidade de cada um, se manifestam em determinado momento.

Quando isso acontece, é necessário estudar o assunto. Felizmente, já há muitos livros de pesquisadores sérios que realizaram experiências com médiuns e fizeram relatos que facilitam a compreensão de como eles funcionam e o que fazer para continuar mantendo o equilíbrio.

Quando a sensibilidade abre, a pessoa começa a captar energias das pessoas [encarnadas ou não] à sua volta e sentir as sensações que elas lhe transmitem, boas ou ruins, conforme as emoções que elas expressam no momento.

Como à nossa volta há muitas pessoas que não controlam o emocional, acreditam na violência, na maldade, passam por cima da ética para obter o que desejam, é fácil entender que você vai captar mais sensações ruins do que boas.

Se você também for uma pessoa emocionalmente desequilibrada e estiver com sua sensibilidade aberta, vai viver em uma gangorra de altos e baixos, indo da euforia à depressão com facilidade. Você está bem, mas de repente, sem motivo algum, começa a se sentir mal, tendo enjoo, dores pelo corpo, atordoamento, sensação de desmaio, um frio que nada consegue esquentar.

Se você procurar um médico, ele não vai encontrar nenhuma doença e é provável que lhe receite um calmante.

Mas você não precisa continuar sofrendo dessa forma. O que resolve é procurar a ajuda de pessoas que conheçam o assunto [há grupos que realizam um bom trabalho nesse sentido] e informar-se por meio da leitura de livros adequados e esclarecedores, para que você possa fazer a parte que lhe cabe na conquista do próprio equilíbrio.

A abertura da sensibilidade favorece a conquista do progresso porquanto revela os pontos fracos que você precisa melhorar. Além disso, quando você disciplina sua mente cultivando o verdadeiro bem, vai se conectar com espíritos iluminados que, além de lhe proporcionarem bem-estar, vão inspirá-la, auxiliando-a a enfrentar os desafios do seu amadurecimento.

Quando você estiver nesse patamar, atrairá prosperidade em todos os sentidos para sua vida. E, o que é melhor, aquele amor verdadeiro, que você tanto deseja, mas que tem dificuldade de encontrar, vai aparecer do jeito que você sonha, trazendo-lhe o companheiro adequado para uma vida feliz e cheia de amor.

A mediunidade é um presente, uma ferramenta a mais para o progresso do homem.

14
É FÁCIL CULPAR OS ESPÍRITOS

Muitas pessoas estão enfrentando problemas de relacionamento, na família, no trabalho, ou na sua vida social e me escrevem atribuindo essa situação desagradável à interferência dos espíritos desencarnados.

Colocam-se na posição de vítimas, atribuem seus problemas às questões de vidas passadas ou à perseguição dos que se utilizam de médiuns ignorantes que fazem "trabalhos" com o auxílio de espíritos também ignorantes. Pedem que eu lhes indique um centro espírita de confiança para que possam resolver essa situação.

Se eu quisesse indicar um lugar para alguém, eu teria primeiro de pesquisar, conhecer o trabalho dessas pessoas, o que para mim é impossível, pois assumi compromissos com os espíritos que tomam todo meu tempo.

Além disso, acredito que cada pessoa tem seu próprio processo de evolução e precisa encontrar um grupo cujas energias possam responder às suas necessidades espirituais do momento. É a própria pessoa quem deve fazer essa busca, pois só ela pode sentir se encontrou o lugar melhor para si.

Cada grupo de trabalho espiritual tem características próprias e embora todos estejam a serviço do bem maior, cada um tem uma especialidade, produzindo determinados tipos de energia que atuam com melhores resultados quando o caso da pessoa precisa especificamente delas. Quando isso acontece, ela sente, persiste e melhora.

Embora seja muito cômodo jogar a culpa de todos os seus problemas nos outros, essa é uma ilusão perigosa, porque coloca você em um círculo vicioso em que, depois de uma fase boa, tudo volta a ser como antes.

Para uma melhora efetiva você precisa fazer a sua parte: analisar seu mundo interior, rever suas crenças, jogar fora os papéis sociais, tornar-se uma pessoa verdadeira, ou seja, que se coloca de maneira adequada.

Muitos desentendimentos acontecem quando as pessoas estão se obrigando a viver dentro dos papéis sociais que as colocam fora da realidade. Não ouvem como deveriam. Quando conversam, não prestam a devida atenção, apressando-se a imaginar uma resposta que lhes garanta manter o que julgam ser o seu papel. A vontade de provar aos outros que estão certas torna-se mais importante do que compreender o outro.

Quando a pessoa se julga menos, teme não ser aceita, entra no papel da "boazinha" com direito à megalomania. Desgasta-se tentando resolver todos os problemas dos outros, assume as aflições e os sofrimentos que são deles. Esquece-se de si mesma. Julga-se uma heroína e embora negue, espera reconhecimento. Como este não vem, sente-se vítima, deprime-se. Suas energias tornam-se insuportáveis, as pessoas afastam-se e ela pode acabar entrando na revolta, revelando seu lado pior.

Já as mimadas acreditam que os olhares de todos a estão julgando, não suportam nenhuma crítica, nada as satisfaz, não sentem prazer em coisa alguma.

A necessidade de autoafirmação, a vaidade, a manipulação, também concorrem para prejudicar os relacionamentos.

A interferência dos desencarnados ocorre por afinidade. Há espíritos que permanecem na crosta terrestre, interferindo na vida das pessoas, atraídos pelos seus vícios e pensamentos negativos. Mas só conseguem influenciá-las por causa das fraquezas que ainda conservam.

Os casos de obsessão por espíritos vingativos de outras vidas são raros. O normal é eles reencarnarem na mesma família ou no mesmo círculo de amizades para que tenham oportunidade de resolver suas diferenças.

A vida é perfeita e cuida do progresso de todos de maneira certa, respeitando o ritmo de cada um.

Todos nós estamos encarnados em um mundo onde há espíritos de vários níveis de conhecimento. Além disso, há aqueles que desencarnam e, presos aos interesses mundanos, não querem deixar a Terra, permanecendo no astral, circulando por este mundo, influenciando as pessoas.

15

O PONTO DE EQUILÍBRIO

Muitas pessoas estão indecisas, sem saber o que fazer de suas vidas, tanto na carreira profissional como na afetiva. Sentem-se inseguras, cercam-se de pessoas nas quais confiam, querendo receitas para sua busca de felicidade. Na maioria dos casos, essas dicas que os outros possam lhes dar, dificilmente as fará obter o que procuram.

Primeiro porque cada um é um e o que funciona para uns não dará resultado para outros. Segundo porque por melhor que seja um conselho, não vai funcionar se a pessoa não estiver aberta para entendê-lo e colocá-lo em prática.

Se você encontra-se nessa situação, o primeiro passo será sempre o do autoconhecimento. É entender o próprio temperamento, tomar ciência das necessidades da sua alma, sentir sua verdade, saber o que lhe traria realização.

Antes de escolher uma carreira profissional, é preciso descobrir sua vocação. Infelizmente, a maioria, quando chega na época de direcionar seus estudos, ainda não sabe para onde ir. Geralmente escolhem um caminho indicado pelos outros, cursam a universidade, entram no mercado de trabalho sem motivação nem prazer, impulsionados apenas pelo ganho material.

Quem estuda e se dedica merece um bom salário. Mas e o prazer do trabalho? Ele é mais gratificante do que o dinheiro, é a realização da ambição de progresso do espírito. É um troféu que coroa o esforço e o prazer de se saber capaz, a alegria de sentir-se útil e atuante. Que dinheiro poderá substituir esses sentimentos?

A nossa alma deseja participar, tornar-se um membro aceito pela sociedade, ser admirada por sua capacidade. Exercer uma profissão como um dever, por obrigação, pelo dinheiro razoável que recebe, pode impressionar no princípio, mas quando a alma não participa, torna-se desinteressante, difícil de manter.

Será que essa não é a principal causa do estresse de muitos executivos?

Ao contrário, quando você faz o que veio preparado para fazer, o que é sua vocação, o trabalho torna-se um prazer, rende mais, a criatividade aparece e você progride dentro da profissão.

Também em nosso lado afetivo precisamos conhecer os nossos sentimentos e aspirações. Não estabelecendo sonhos irreais, mas descobrindo nossas verdadeiras necessidades, tanto físicas como espirituais.

As pessoas mergulham nas ilusões, criando arquétipos culturais disseminados na sociedade, acreditando que sejam fundamentais para obter felicidade, mas que ao contato com a realidade, estouram como bolhas de sabão, levando a frustração e ao sofrimento.

Torna-se preciso sentir. Entender o que sua sensibilidade deseja, o que sua alma precisa, para direcionar suas escolhas em qualquer setor de sua vida.

Esse caminho você terá de percorrer sozinho. Ninguém terá capacidade para sentir o que seria bom na sua vida.

Em sua busca pessoal, você pode colher informações, dicas de experiências de pessoas vencedoras, ler bons livros, inspirar-se, tudo isso pode somar, ajudar, mas o fator determinante de suas escolhas deve ser sempre o que você sente, o que faz sentido para o seu espírito.

Porque só você tem capacidade para explorar o seu mundo interior, só você tem o dom de aprofundar-se no mar, nem sempre calmo, de suas necessidades íntimas e descobrir o ponto de equilíbrio.

Trabalhar para essa conquista vale a pena. Trata-se da conquista da sua paz, do seu progresso, da sua felicidade. Pode haver alguma coisa mais importante em sua vida?

Olhe-se no espelho da sua alma, sabendo que sua luz precisa ser distribuída. Quanto aos seus pontos fracos, você poderá vencê-los com persistência e paciência. É só começar e acabará chegando lá.

Dê prioridade ao seu equilíbrio, cuide de si. Dessa forma, as coisas começam a dar certo.

16
CONHECENDO O MUNDO DAS ENERGIAS

Tendo a atenção focada nas atividades do dia a dia, a maioria das pessoas só tem olhos para o mundo material. Até certo ponto é natural, uma vez que nascemos na Terra esquecidos de que já vivemos outras vidas. É uma trégua, em muitos casos, um alívio, como se a vida passasse uma esponja em nossas feridas, para dar-nos um novo alento.

Contudo, nós somos espíritos eternos e dentro do nosso inconsciente permanecem registradas todas as experiências de nossa trajetória, influenciando nossas atitudes.

As fobias, os medos, os projetos, as qualidades e o conhecimento inatos revelam as conquistas e as falhas do nosso desempenho através do tempo. O que é o gênio senão alguém que durante várias encarnações estudou e dedicou-se a um determinado tema?

Além de todas essas influências, ainda estamos mergulhados em um oceano de energias que interagem conosco, conforme lhes damos importância [dar importância é importar, isto é, introduzir dentro de si].

Quando você importa um pensamento, você está lhe dando uma forma que passa a fazer parte de sua aura e influenciar suas escolhas.

Nas grandes cidades há um enorme contingente de energias que emana das pessoas. Elas criam uma atmosfera cujo teor é um somatório do que acreditam.

Entre as muitas dimensões do universo, há aquelas em que vivem os espíritos que ainda precisam reencarnar na Terra. Lá, eles retomam as lembranças, analisam atitudes, recuperam energias para prosseguirem na conquista do progresso espiritual. Conservam os afetos, interessam-se pelo bem-estar dos que ficaram, esforçam-se em ajudá-los conforme podem.

Quando podem, engajam-se em grupos que prestam socorro aos encarnados, trabalham para a melhoria do planeta e da sociedade, na certeza de que tudo que fizerem os irá beneficiar no futuro quando tiverem que voltar a viver aqui.

Quando alguém morre, recebe a ajuda de dedicados espíritos que os convidam a seguir com eles. Entretanto, muitos, apegados às pessoas e aos bens que deixaram na Terra, se recusam a segui-los, querendo interferir na vida dos que ficaram.

Nesse caso, eles são deixados à própria sorte para que, percebendo a própria incapacidade em resolver os problemas, aceitem a ajuda que lhes foi oferecida.

Esses espíritos vivem na crosta terrestre, e suas energias desequilibradas também atuam nessa atmosfera já tão conturbada criada pelas formas-pensamento dos encarnados.

Em meio a todas essas energias é que nós vivemos. É urgente que saibamos controlar nossos pensamentos, ligando-nos aos espíritos superiores que sabem como nos proteger.

O emocional desequilibrado, a dramatização exagerada, a falta de conhecimento e de confiança na vida fazem com que escolhamos o lado pior e nos liguemos com as energias ruins que nos rodeiam.

Se você de repente, do nada, começa a sentir enjoo, mal-estar, queda de pressão, sensação de desmaio, dores pelo corpo, pode ter se conectado com energias ruins. Se procurar um médico, ele terá dificuldade em achar a origem do mal e às vezes, até poderá fazer um diagnóstico errado.

Nesses momentos você pode rezar, pedir ajuda espiritual, mas se não conseguir, procure um centro espírita para receber uma renovação energética.

Pode ser que você encontre alguma dificuldade para chegar até lá, no primeiro momento, seu mal-estar poderá até se acentuar, mas se ficar firme, persistir, tudo desaparecerá como em um passe de mágica e você voltará ao normal.

Jogar fora o negativismo, ficar firme no bem, é indispensável para manter o próprio equilíbrio.

A captação de energias funciona pela lei da afinidade. Se pensar coisas ruins, vai captá-las. O mesmo acontece com as coisas boas.

17

RUMO AO SUCESSO!

Seja você o agente do seu sucesso! Só você tem a capacidade de ir fundo no seu coração e sentir o que o tornaria uma pessoa realizada e de bem com a vida.

Tudo é possível conquistar quando seu espírito quer. Não tenha medo de sonhar. O sonho alimenta o entusiasmo, e o entusiasmo fortalece o querer. Mas tudo tem um caminho próprio que você terá de descobrir para fazer que seus projetos se materializem.

Na conquista dos poderes espirituais, é preciso querer. Não é *o que* você quer, mas *o quanto* quer. O mecanismo é o mesmo. A realização independe do valor. É como você quer que funcione.

Pense o que quer há muitos anos. Querer com aflição, ansiedade, preocupação, não funciona. Querer para o futuro, também não. Ele não tem aflição, não está no futuro. Ele está aqui!

É preciso saber querer. A vida traz o que você sabe querer. Não tenha expectativas. A magia está em acertar o querer. Não precisa fazer força. Querer é natural, leve, normal. Você merece! Aceite a vitória com naturalidade.

Você quer melhorar, ter satisfação pessoal, alegria. Reagir contra uma situação ruim é bom. Mas não se deixe levar pelas ideias negativas do mundo. Não queira se vingar, nem se afligir; você não precisa tornar-se vulnerável às trevas.

Precisa tirar as ervas daninhas para que a semente cresça. Mágoa, ressentimento? Não use seu poder para cultivá-los. Cure seu querer. Querer é calmo, pessoal. Você não está em uma batalha. Não tem de vencer nada. O que funciona, já é.

O segredo está em saber manter o equilíbrio da mente, não se deixando levar pela negatividade. A mente racionaliza e está dominada pelas ideias do mundo, da cultura, das aparências. Tem como prevenção negar os nossos poderes espirituais, pretendendo nos proteger, mas que acabam por desvalorizar nossas qualidades como espíritos eternos que somos e negar os poderes que nos foram dados pelo criador.

Algumas crenças que impedem a materialização dos nossos projetos: acreditar em dificuldade, negar o próprio poder, sentir culpa, não aceitar os próprios erros, negar suas qualidades, não confiar no próprio discernimento e preferir as opiniões dos outros.

Cultivar o negativismo atrai o medo, paralisa e não permite que você obtenha sucesso.

Essa situação é comum porque a maioria das pessoas é prisioneira das ideias culturais que foram aceitas como verdades absolutas durante muito tempo, tornaram-se automatizadas, o que torna difícil agora ignorá-las.

O negativismo tem estado presente em nosso pensamento, mas é preciso nos libertarmos dessa ilusão a fim de enxergarmos todas as coisas boas que já temos e conquistamos. Cultivar o otimismo é a chave para nos libertarmos desse passado e conquistarmos definitivamente o progresso o qual viemos buscar neste mundo.

A hora é agora porque já temos elementos que comprovam nossa origem espiritual e quanto mais rápido abrirmos os olhos a essa verdade, mais fortes seremos para conquistar uma vida melhor.

A vida é muito maior do que podemos imaginar. O universo tem mais mundos iluminados que nos acenam indicando que é hora de mudar. Seres de luz circulam pela Terra convidando-nos ao bem maior.

É hora de acordar, de acabar com a dor e o sofrimento e nos tornarmos pessoas de bem, antenadas com o futuro.

É importante não absorver o negativismo que está em volta, mantenha seu equilíbrio. Confie que tudo vai dar certo e escolha a alegria.

18

A FELICIDADE PODE SER PARA TODOS

Todos nós desejamos a felicidade e idealizamos como realizar essa conquista. Amor, prosperidade e bem-estar são elementos fundamentais e todos eles dependem de como enxergamos as coisas e nos relacionamos com as pessoas.

Nossas crenças nos fazem interpretar os fatos e determinam nossas atitudes, cujos resultados somos forçados a colher. Analisando esses fatos com atenção, poderemos perceber o que é verdade e o que é fruto da ilusão.

Uma falsa crença aprendida impede que você perceba aquilo que é, e só lhe trará frustração, porquanto, se a verdade liberta, a ilusão deturpa a realidade, inverte valores, traz insegurança e descrença no próprio poder, torna o seu desempenho medíocre, destrói o entusiasmo e a alegria de viver, afeta todos os seus relacionamentos.

Saber manter um bom relacionamento é a base para obtermos sucesso em todas as áreas sociais. E a autoconfiança é fundamental para essa conquista.

Se tudo dá errado em seus projetos de vida e em seus relacionamentos, é hora de começar a reavaliar no que você acredita e a forma como se vê. São elas que causaram essas situações. Pela sua cabeça devem estar passando muitos pensamentos depreciativos, negando suas qualidades, gerando medos, paralisando sua ousadia natural.

Experimente não dar importância a eles e procure sentir em seu coração o que você gostaria de obter, quais os elementos que lhe trariam alegria e bem-estar.

Insista nisso e terá uma grata surpresa: perceberá suas qualidades, seu desejo de fazer tudo direito, de progredir, fazer brilhar a luz do seu espírito. Sentirá o imenso amor que há em você e deseja expressar-se.

Pense como a vida tem sido generosa, dando-lhe a oportunidade de viver em um corpo sadio, inteligente, que lhe permite experimentar e aprender como a vida funciona. Que errar é uma forma da verdade se revelar e dar-lhe sabedoria.

Seja generoso cooperando com a melhoria das condições deste planeta que tudo nos deu, para que nosso espírito pudesse estagiar aqui e progredir.

A vida é uma troca e a gratidão abre as portas do sucesso fazendo com que o universo trabalhe a nosso favor.

Haverá momentos em que os pensamentos depressivos vão reaparecer, porquanto todos os acontecimentos desagradáveis do passado, desta ou de outras vidas, estão arquivados no seu inconsciente e poderão voltar para dar-lhe a oportunidade de eliminá-los definitivamente.

Sempre que isso acontecer, não tema, converse com eles explicando que são frutos de uma época em que você pensava de forma equivocada, mas que agora, tendo aprendido mais, gostaria que entendessem e fossem embora.

Estou certa de que se sentirá aliviado e aos poucos irá transformando sua vida, que se tornará mais verdadeira e serena, aumentando seu senso de realidade, libertando-a de muitos sofrimentos.

Ser verdadeiro é fazer só o que sente em seu coração, dizendo sim ou não, conforme seus sentimentos. Mentir para agradar os outros traz desvalorização e as pessoas perdem o respeito, algumas até passarão por cima de seus interesses com a maior facilidade.

Não tema expressar sua verdade. Seja sincero e será aceito, respeitado e querido por todos.

Não faça alarde de suas alegrias nem reclame de suas tristezas. Apenas sinta e trabalhe pelo seu melhor.

19

RESGATANDO A MOTIVAÇÃO

Se você sente-se desmotivado, cansado e precisa esforçar-se para levar adiante suas responsabilidades, está na hora de repaginar sua vida.

É muito comum nos habituarmos à rotina, fazendo sempre as mesmas coisas, porque ela nos ilude dando-nos uma sensação de segurança. Seguir por um caminho conhecido, fazer o de sempre, é confortável, cômodo, natural, fácil. Mas com o tempo, perde o sabor.

Falta a curiosidade, o prazer de saber que estamos lidando com as coisas buscando os meios de alcançar nossos objetivos. Nessa busca, interpretamos os fatos da vida e testamos nossos conhecimentos.

Há dentro de nós uma série de crenças às quais demos crédito. É através delas que abrimos a janela para enxergar a vida sem perceber que algumas crenças não são verdadeiras e deturpam aquilo que é.

Enquanto tudo no mundo se movimenta rapidamente, renovando a vida, não há como permanecer parado. A força do progresso age constantemente e quando alguém permanece sem andar durante um tempo além do razoável, a vida o empurra.

A vida é força, luz, criatividade, movimento, grandeza, e quando você não está no fluxo do progresso, seu espírito fica desmotivado, perde a alegria e a vontade de viver.

A vida andou, a ciência evoluiu, há coisas maravilhosas que você ainda não sabe, mas pode descobrir, experimentar e aprender com elas.

Esse processo é gratificante e renova as energias, dá prazer e realização.

Experimente agir. Não tema. Se o resultado não for o esperado, mesmo assim, valorize a experiência porque ela o tornou mais sábio, mais lúcido, aumentou seu coeficiente de realidade.

Enxergar as coisas como elas são revela sabedoria e traz equilíbrio, dá serenidade e facilita interagir com as coisas, relacionar-se com as pessoas, proporciona uma vida mais próspera e mais feliz.

São as ilusões, as falsas crenças aprendidas, que deformam a verdade, invertem valores, criam expectativas erradas, trazem infelicidade.

Quando você modifica o teor dos seus pensamentos, está mudando o teor de suas energias. As pessoas com as quais você interage reagem conforme o conteúdo dessas energias.

No silêncio do seu coração, avalie tudo isso. Como tudo na vida, você só precisa criar coragem e começar, porque depois de experimentar, sentir o gostinho, não vai mais querer parar.

Acredite na vida, siga em frente e sempre é bom pedir uma ajuda extra ao seu guia espiritual. Ele já deve estar do seu lado, ansioso para dar-lhe uma mãozinha e ter a satisfação de vê-lo deslanchar.

A qualidade de nossa energia depende das crenças que mantemos. Sentimentos nobres elevam nosso padrão energético, enquanto os mesquinhos nos empurram para baixo.

20

OS ESPÍRITOS NA NOSSA VIDA

Apesar das muitas provas de que a vida continua depois da morte do corpo, muitos ainda não acreditam nessa realidade.

Mesmo quando entre uma dúvida e outra, admitem essa possibilidade, têm medo de relacionar-se com os espíritos, esquecidos de que, apesar da mudança de estado, eles são apenas seres humanos, que devem ser vistos com as mesmas qualidades e defeitos que tinham.

O relacionamento com os desencarnados deve ser realizado com o mesmo cuidado com que lidamos com as pessoas no dia a dia, analisando suas atitudes, respeitando as diferenças, mas aceitando só o melhor.

A falta de conhecimento, a crença em espíritos eternamente voltados ao mal, o medo disseminado pelas religiões com o fim de dominar, criaram fantasias, têm limitado o desenvolvimento do homem fazendo-o temer a verdade e perder um tempo imenso na conquista do próprio progresso.

Mas a evolução do espírito é fatal e por mais resistente que alguém seja, a vida tem meios de mostrar-lhe o que precisa aprender e quando chega o momento, abre a sensibilidade para que ele tome conhecimento daquilo que é.

A manifestação do sexto sentido é uma condição natural do ser que conforme o caso, sentirá os efeitos das diversas energias que os circundam, tanto das pessoas em volta como dos que estão em outras dimensões no universo.

A abertura da sensibilidade acontece para que o espírito possa conhecer as elevadas energias dos mundos superiores e comece a trabalhar para alcançar esse nível espiritual. Só se consegue isso por mérito. Cada ser terá de aprender como as coisas são e tornar-se um colaborador da obra divina onde quer que esteja.

Nós ainda estamos longe dessa conquista, mas saber que só depende de nós chegarmos onde precisamos ir, que nos espera um futuro melhor quando deixarmos este mundo, e reencontraremos os seres amados que nos precederam, vale todo o esforço em nos dedicarmos a melhoria do nosso mundo interior.

Muitos não têm ideia como se vive nas outras dimensões do universo. Há muitos livros sobre esse assunto. *Nosso Lar*, psicografado por Chico Xavier é um deles e meu amigo Silveira Sampaio adora contar o que acontece lá, no mundo onde ele vive agora.

Naquela dimensão tudo é sólido para eles, o corpo, os objetos, igual aqui. Há cidades, estações do ano, céu, terra, até sociedade organizada, com algumas diferenças.

A hierarquia, por exemplo, é natural porque quem é mais espiritualizado exerce um poder energético irresistível sobre quem o é menos.

As pessoas se unem pela afinidade e por esse motivo os grupos são bem definidos, o que não ocorre em nosso mundo, onde se mesclam pessoas de vários níveis de espiritualidade. Lá as pessoas que desejam o bem se unem para ajudar-se mutuamente e prestar serviços onde for preciso, inclusive aos que sofrem na Terra. Você não gostaria de viver em um mundo assim?

Aquelas que são mais revoltadas, justiceiras, fanáticas, se juntam, tentam conseguir o que pretendem, vivem em colônias mais próximas da Terra. São elas que tumultuam a vida das pessoas daqui, pretendendo vingar-se, tomando as dores de seus entes queridos, tentando fazer justiça com as próprias mãos, acirrando discussões e desarmonia.

"Há muitas moradas na casa de meu Pai", disse Jesus.

Sua energia reflete sempre o que o coração sente. É ela que vai determinar o lugar do astral onde você deverá ir quando chegar sua hora. Lá não haverá ninguém para julgar suas atitudes a não ser você.

Pensando bem, não seria melhor deixar o negativismo, a resistência e começar a estudar a espiritualidade desde já? Você mudaria sua vida para melhor e se livraria de muitos problemas. Pense nisso!

A evolução do espírito não ocorre de forma linear e depende das escolhas de cada um, que é livre.

21

O PREÇO DA VERDADE

Quero conversar com você, que está lendo este livro, esperando encontrar dicas interessantes para uma vida melhor.

Desejo que saiba que não tenho a pretensão de ensinar nada a ninguém, apenas contar minhas descobertas e experiências no decorrer dos meus muitos anos de vida, como uma contribuição na conquista do nosso senso de realidade.

Um querido amigo espiritual costuma repetir sempre uma frase simples: "O que é, é. O que não é, não é." No começo pareceu-me ser algo tão simples que não merecia um estudo maior. Contudo, no decorrer do tempo descobri o que ele queria dizer: Só a verdade tem o poder de nos levar para frente.

Todo sofrimento que passamos tem origem em nossa maneira equivocada de ver as coisas. Geralmente, fugimos de enfrentar a verdade por acreditar que ela seja sempre cruel e dura.

Gostamos de sonhar e imaginar como gostaríamos que as coisas fossem, o que seria muito bom, se tivéssemos uma visão clara do que realmente somos, o que infelizmente não acontece. Entre imaginar e realizar há uma substancial distância, que passa pela diferença de querer ser, sem fazer nada para testar nossa força de fato.

Todos desejamos o melhor, mas se no íntimo nos impressionamos com a opinião dos outros, nos enxergamos como fracos, temos medo de nos expor, de ousar, fica claro que nunca conseguiremos realizar os nossos sonhos.

Sem olharmos nossa realidade interior, sem conhecermos nossa capacidade, nos escondendo diante dos desafios, que no dia a dia buscam nos mostrar como a vida funciona, continuaremos indefinidamente nos altos e baixos da insatisfação.

Se continuarmos a olhar somente o que se passa no mundo de fora, estaremos longe da realidade, vivendo só pelas aparências, ignorando o verdadeiro sentido da vida.

Já disse um amigo espiritual: "Nada do que parece é. Mas o que é, sempre aparece."

A verdade é inexorável. Ela quer tirar a venda dos nossos olhos, mostrar que ao contrário do que acreditamos, conhecer a verdade nos conduz ao equilíbrio, traz paz e felicidade.

Você não acredita? Vê a dor e o sofrimento como reais quando na verdade, são reflexos da ignorância de quem se ilude com valores distorcidos.

O fato é que, nosso espírito é eterno, sua essência é divina, está encarnado neste planeta para viver aquilo que acredita e aumentar seu senso de realidade.

Disse Jesus: "Toda planta que meu pai não plantou, será arrancada.", querendo dizer que só o conhecimento da verdade nos libertará da ignorância que nos traz a dor e o sofrimento.

Mas ela tem um preço que precisaremos pagar. A conquista de uma vida equilibrada, produtiva, proveitosa, só vai acontecer quando deixarmos de valorizar o que parece e irmos mais fundo naquilo que é.

Ao manter essa intenção notei que minha intuição se desenvolveu mais. Conhecer as coisas como são ajuda a melhorar nossos relacionamentos, evita criarmos expectativas, principalmente em relação àqueles que não têm o que nos oferecer.

O conhecimento de si mesmo cria um foco que direciona seu projeto de vida de maneira adequada. Assim, sua percepção se torna mais clara e a intuição aparece segura e limpa, facilitando seu desenvolvimento interior, levando-o às realizações e ao prazer da vitória.

O conhecimento da espiritualidade, a prova de que a vida continua depois da morte, o contato com meus amigos espirituais, seus ensinamentos, mudaram minha vida, trouxeram paz, alegria, luz, força para enfrentar os desafios.

"O que é, é. O que não é, não é." Ponto final!

**A vida só deseja que você perceba:
a verdade é sempre o melhor caminho.**

22

A VIDA TRABALHA PELO SEU MELHOR

Recebo muitas cartas e e-mails dos leitores. Embora alguns contem algumas conquistas, a maioria pede ajuda para os problemas que não consegue resolver. Esperam que eu possa, de alguma forma, auxiliá-los na análise das causas do que lhes acontece e dar-lhes algumas dicas de como resolvê-los.

Relato minhas experiências, na expectativa de que elas possam contribuir, faço isso de coração, mas sei que seja qual for o problema, ou a situação, as coisas só vão mudar se a pessoa lá no fundo do seu ser, de fato quiser.

Quase sempre colecionam receitas de comportamento, sabem até o que precisariam fazer para libertar-se do que lhes incomodam, mas continuam apenas analisando, procurando soluções indefinidamente, sem tomar nenhuma iniciativa verdadeira.

Ao agir assim, de certa forma tentam aliviar a própria consciência da culpa que sentem, por não tomar uma atitude definitiva. Justificam que ao buscar mais conhecimento, lendo livros, fazendo cursos, estão se preparando, se fortalecendo para fazer a parte que lhe cabe no processo.

Elas não percebem que mais conhecimento traz mais responsabilidade diante da vida. No fundo sabem exatamente o que precisariam fazer para enfrentar os desafios e os problemas que as afligem. Muitas vezes, são capazes de darem sábios conselhos aos outros, mas, elas mesmas não fazem o que sabem.

Ao responder tenho receio de ser repetitiva e por mais que me esforce para ser original, como os problemas são sempre os mesmos, sou forçada a escrever as mesmas coisas.

Porque a verdade é o que é, não dá para ignorar as leis universais que regem a vida.

Escolheu mal, ignorou o bem, desrespeitou o direito dos outros, não fez o seu melhor, não quis aceitar a realidade, não fez a parte que lhe cabe para conquistar uma vida melhor, não usou em seu benefício a inteligência que Deus lhe deu, preferiu viver na ilusão, não terá como fugir: Vai sofrer muito e ninguém poderá ajudá-lo. Nem Deus!

Não adianta rezar, pedir proteção a todos os santos, procurar ajuda psicológica, espiritual, médica e até engajar-se em trabalhos assistenciais de ajuda ao próximo.

A caridade, a ajuda ao próximo, certamente lhe trará o apoio de muitos amigos, mas não acrescentará nada à evolução do seu espírito.

A vida trabalha a favor da sua evolução espiritual, mas só trabalha por mérito. Deu-lhe um espírito eterno precisando se desenvolver e um corpo com a inteligência universal, para excursionar por este planeta e aprender a lidar com as forças vivas da natureza, conhecer os valores éticos necessários para contribuir com as forças positivas do universo. Mas para conquistar os benefícios do progresso, cada um terá de fazer a parte que lhe cabe. Não adianta fugir.

A vida vai apertando o cerco para quem está nesse círculo vicioso e se recusa a enfrentá-lo. Quanto mais resistência, mais sofrimento. Ao chegar no fundo do poço, o espírito reage, coloca sua força para querer, de fato, mudar.

Você vai esperar que isso lhe aconteça, para assumir sua força, tomar as atitudes que lhe competem, resolver os problemas que se arrastam em sua vida? Vai encarar a verdade como ela é? Vai decidir de hoje em diante se colocar em primeiro lugar diante de si mesmo e só fazer o que lhe faz bem? Vai acreditar na própria capacidade? Vai olhar a vida com otimismo? Vai esperar sempre o melhor? Vai ser espiritual, olhar tudo com os olhos do seu espírito? Você sabe o que precisa fazer.

Espero ter respondido aos muitos leitores que escreveram pedindo ajuda. Estou sendo sincera. Não se iludam, a verdade é muito melhor do que a ilusão. Ao cultivá-la, vocês acabarão descobrindo que ela é o caminho que leva à conquista da felicidade, do progresso e da luz.

A vida quer o seu progresso, a sua evolução. Ela quer que você aprenda e cresça.

23

SEGUINDO EM FRENTE, SEMPRE!

Como vai sua vida? Tem conseguido levar adiante seus projetos? Espero que sim. Afinal você tem se esforçado, trabalhando com determinação e coragem enfrentando todas as dificuldades que surgem.

Sentir o prazer da realização é o prêmio merecido de quem toma decisões certas e cumpre a parte que lhe cabe na conquista do sucesso. Está acontecendo com você? Parabéns!

Não é esse seu caso? Os problemas se multiplicam e você não sabe como resolvê-los? Suas finanças estão ruins, seus relacionamentos confusos e por mais que se esforce, não encontra saída?

Não desanime. Tenha a coragem de parar e voltar-se para dentro de si mesmo, sentir a angústia, a própria impotência, o medo do fracasso, que nos últimos tempos o tem atormentado e dizer em alto e bom som, com todas as forças do seu ser:

“Sou um espírito divino e eterno, minha vida não pode ser limitada! Deus comanda minha vida, me inspira bons pensamentos, me dá sua paz. Eu confio na vida. Jogo fora todos os medos, a insegurança por que sei que não estou sozinha.”

Os pensamentos negativos vão reaparecer, querer tomar conta, mas você não lhes dê importância, permaneça firme e repita a frase positiva com coragem e firmeza. Respire profunda e pausadamente, pensando na paz, no bem. Sinta-se confiante, mais calmo. Se for possível, observe a natureza, as plantas, sinta-se ligado a elas.

Fazendo esse exercício com persistência, aos poucos, você irá se sentir melhor e começará a perceber o lado verdadeiro das questões que o preocupam. O importante é não deixar que pensamentos negativos o dominem e assumam novamente o controle. São eles que estão distorcendo a realidade e impedindo que você possa encontrar soluções adequadas.

Quando sentir-se mais calmo, peça que a vida lhe mostre o que deverá fazer, que providências precisa tomar e espere. Olhe à sua volta, preste atenção e conseguirá entender os recados que ela lhe dará. Pode vir por meio de uma frase ouvida ao acaso, de um livro, de um filme ou até mesmo da letra de uma música. Conserve a calma, não se preocupe porque quando o recado chegar, imediatamente você sentirá que é sua resposta.

Por mais difícil que seja o problema, por mais sofrimento que você esteja passando, se confiar na ajuda espiritual, lutar contra o negativismo e perseverar no bem, esforçar-se na busca da sua paz interior, receberá forças para enfrentar os momentos difíceis com coragem e fará o seu melhor.

Todos os desafios que aparecem em nosso caminho resultam da nossa necessidade de aprendizagem. Nossas atitudes equivocadas desnudaram os pontos fracos do nosso espírito. Ao enfrentá-los com coragem, aprendendo com os nossos enganos, estaremos conquistando uma vida mais estável, com mais realizações e mais paz.

As leis divinas que nos regem são eternas e perfeitas. Conhecê-las nos ensina que para conquistar uma vida melhor precisaremos nos tornar pessoas éticas, assumirmos a responsabilidade pelo progresso do nosso espírito, e darmos a nossa contribuição para o progresso social.

Nos colocarmos em primeiro lugar, diante de nós mesmos, significa estudar, melhorar nosso conhecimento, gerenciar nossos pensamentos, melhorar os pontos fracos, nos tornarmos pessoas de bem. Só depois disso, com o nosso bom desempenho é que poderemos fazer a parte que nos cabe, prestando serviços em favor de todos.

Acredite, você pode conseguir tudo isso. As forças positivas do universo o estarão apoiando, premiando seus esforços com mais alegria, luz e paz.

Para você poder fazer o bem, tem que estar muito bem. E você só está bem quando se coloca em primeiro lugar.

24

SÓ PODEMOS CONTROLAR A NÓS MESMOS

Depois de trabalhar o ano inteiro, ter enfrentado vários desafios, nos esforçando para fazer o nosso melhor, ainda teremos de comparecer às festas, tanto as formais quanto as familiares, com alegria e disposição.

Observando a agitação à nossa volta, as pessoas nervosas no trânsito, a correria das compras nas lojas cheias, a tentativa de não sair do orçamento, não vemos a hora de que tudo termine para podermos respirar e retomar a paz.

Será que precisamos de tudo isso? Não haveria outra maneira de atravessarmos essa guerra? Talvez. Mas é que nós não queremos quebrar as regras e nos impomos a obrigação de cumpri-las.

Vaidade? Ou talvez seja a vontade de cooperar, de sermos aceitos e incluídos. O fato é que com tudo isso, ficamos estressados.

Já que por diversos fatores, apesar de tudo, nós vamos querer manter esse comportamento, pelo menos seria útil fazermos alguma coisa para conservar a calma e até podermos participar dos eventos com mais prazer.

De que forma? Conhecendo um pouco mais o que nos estressa. Segundo os mestres do comportamento, a maneira como interpretamos os fatos é fundamental nesse processo.

Para desencadeá-lo, não é preciso que aconteça uma tragédia. Um fato simples de pequena importância para a maioria, para você pode ser visto como um obstáculo invencível. Depende de como você o interpreta.

Quando estamos diante de uma situação, imediatamente a interpretamos. Essa é nossa primeira reação. Uma pessoa dramática, logo a verá pelo lado pior. Provavelmente, nada do que ela teme acontecerá, mas ela sentirá sintomas físicos como se esse fato fosse real. Ficará estressada.

Nós gostamos de controlar os acontecimentos para nos sentirmos seguros. Sempre que algum fato foge ao nosso controle, desencadeamos o processo do estresse.

Se você está dirigindo no trânsito e na sua frente um carro começa a mudar de faixa várias vezes, você não sabe em qual lado ele vai permanecer. A situação foge ao seu controle e você ficará irritado, estressado [esse é um exemplo dado pelo doutor Deepak Chopra, em um dos seus livros sobre estresse].

Na verdade, nós não podemos controlar nada nem ninguém. Temos dificuldade até em controlar nossos impulsos. Assim, se quisermos combater o estresse, teremos de aprender a olhar as coisas como elas são.

Todos nós estamos precisando tomar um banho de realidade para sofrermos menos. Enquanto olharmos as coisas com pessimismo, acreditarmos que o mal é forte e pode nos alcançar a qualquer momento, viveremos limitados pelo medo.

Enquanto acreditarmos que sabemos tudo, querermos botar ordem no mundo, nas pessoas, viveremos na ilusão. O resultado é o sofrimento.

Se você realmente deseja viver em paz, aprenda a confiar na vida. Pense que ela cuidou do seu bem-estar mesmo antes de você nascer, quando estava inconsciente no ventre de sua mãe, continua dispondo as coisas para que você progrida e cuidará de você quando morrer.

Se tem dúvidas, olhe à sua volta, observe fatos, sinta como as coisas funcionam.

Analise suas crenças, verifique se são verdadeiras [preciso repetir isso sempre], porque é através delas que você interpreta tudo que lhe acontece.

Não tenha medo da verdade, respeite seu sentir, torne-se lúcido, imune à desilusão. Conheça seu mundo interior, estude como as coisas são e torne-se uma pessoa mais verdadeira, equilibrada, sem medo de tomar decisões, capaz de enfrentar todos os desafios do caminho com coragem, disposição.

Agindo assim, você comparecerá à todas as festas do fim de ano, suportará melhor as pessoas estressadas, terá um Natal mais feliz.

São suas crenças que atraem as situações e as pessoas à sua volta. Se as coisas não seguem como você quer, peça à vida para lhe mostrar a verdade. Ela sempre mostra. Fique atento aos sinais.

25
CUIDAR DO SEU EQUILÍBRIO É FUNDAMENTAL

Todos nós sabemos da preferência da mídia em priorizar os fatos dramáticos, repetindo detalhes desnecessários. Algumas vezes reclamei do sensacionalismo de alguns, mas quero falar do outro lado. Dos jornalistas e comunicadores que objetivam distribuir conhecimento, entrevistando especialistas credenciados de várias áreas que abrem nosso entendimento e nos ajudam a ter uma vida melhor.

Lendo um livro como este, pode-se aprender muito. Mas é preciso experimentar o que ele ensina para saber se funciona. E o leitor só põe em prática o que lê quando acredita. Quantas coisas você deixou de aproveitar por não experimentar?

Tenho falado sobre o sexto sentido e relatado minhas experiências no trato com as energias que nos rodeiam e sobre as leis cósmicas que regem a vida. Quando a sensibilidade abre, fica difícil manter o próprio equilíbrio.

Muitos procuram "fechar o corpo" utilizando-se de rituais e magias, mas o que funciona mesmo é o controle dos pensamentos habituais, frutos das nossas crenças. São eles que nos sintonizam com as energias à nossa volta.

Além de jogar fora as falsas crenças nas quais acreditamos e sermos verdadeiros em nossas atitudes, é preciso ter o cuidado de proteger-se dos vampiros energéticos. Eles estão à nossa volta querendo sugar nossas energias.

São as pessoas com as quais convivemos em nosso dia a dia, sempre carentes, queixosas, infelizes, reclamando de tudo e de todos, olhando a vida de forma negativa. Desfiam as tragédias do mundo, colecionam problemas sem solução.

Ao despejar sobre você todo seu negativismo, sentem-se aliviadas. Claro, dividiu com você o peso que carregava e sugou suas energias vitais. Enquanto ela se vai aliviada, você fica um lixo.

Foi-nos ensinado que os outros estão em primeiro lugar. Que todos precisamos ajudar o próximo. Esse princípio é lindo, mas na prática pode nos prejudicar porque parte de uma premissa equivocada.

Diante das leis da vida, a primeira responsabilidade que temos, é cuidar do nosso equilíbrio [físico, mental e espiritual]. Estamos no mundo para evoluir e todas as forças que nos rodeiam atuam nesse sentido.

Quando nos omitimos, agimos contra a natureza, destruímos nossa vitalidade, criamos um campo energético favorável às doenças e ao fracasso.

A segunda responsabilidade é ser útil, contribuir para a evolução da sociedade e das pessoas. Só conseguiremos bons resultados nesse sentido quando estamos bem. E para isto necessitamos preservar nosso equilíbrio.

No nível emocional e espiritual que estamos, não é fácil essa conquista, uma vez que cultivamos pontos fracos que facilitam a sintonia com o mal.

Mas sempre será melhor insistir no bem, ainda que com eventuais recaídas do que estar sempre se sentindo mal.

A ligação com os espíritos de luz, a prece e o esforço para manter pensamentos otimistas são os melhores caminhos.

Quando alguém se aproximar de você com energias ruins e, a pretexto de desabafar, despejar sobre você um amontoado de queixas, em vez de encorajá-la e bancar o bom ouvinte, procure inverter o tom da conversa contando algo otimista, elogiando alguma qualidade que ela tem.

Se essa pessoa for de sua família, mesmo antes de ela começar a falar, ignore sua cara triste e faça algum elogio, conte uma piada, tente algo positivo e estará lhe dando a chance de melhorar e conservar o próprio equilíbrio.

Lembre-se: para dar é preciso ter. Para ter é preciso conquistar. Só conquista quem conhece o caminho e sabe como fazer para ter. Não se omita.

Dê prioridade ao seu equilíbrio, cuide de si. Dessa forma, as coisas começam a dar certo.

26

DEIXE DE SER DRAMÁTICO

Não ser dramático é fundamental para manter a paz. Você já reparou nos exageros que cometemos nesse sentido?

Você diz que não é dramático e quando tem de tomar uma decisão, precisa ser realista, observar o lado pior para poder prevenir-se e fazer o melhor.

Ser realista é bom, mas é preciso perceber se seu conceito sobre o que seja isso não está sendo impulsionado pelo seu lado dramático. Olhar a vida pelo lado ruim vai atrair exatamente o oposto do que você quer.

A tendência de olhar sempre o lado pior, é um vício cultural aprendido que nos infelicita, impede-nos de enxergar as coisas como elas são.

Se desejamos acabar com o tormento que nos rodeia, torna-se necessário dominarmos esse hábito a fim de conseguirmos a serenidade necessária para enfrentar os desafios que temos no dia a dia.

Na atualidade, tomamos conhecimentos de todas as desgraças que acontecem no mundo inteiro e mesmo que sua vida decorra sem grandes tragédias, se não procurarmos trabalhar essa situação interiormente, acabamos paralisados pelo medo que uma delas venha a nos acontecer.

Quanto mais dramático você for, mais medo terá, uma vez que ao exagerar a possibilidade de fatos que poderiam lhe acontecer, você desconsidera as coisas boas que tem e acaba sofrendo por antecipação por coisas que não aconteceram e provavelmente nunca acontecerão.

Se você sente-se inquieto, irritado, deprimido, preste atenção como anda seu lado dramático. Quanto mais você dramatizar, mais medo terá.

Diante de uma situação difícil, inusitada, que pensamentos surgem em sua cabeça? Você rapidamente "vê" um futuro trágico e infeliz e vai até as últimas consequências?

Nesse estado, o raciocínio fica embotado, as mãos frias, a cabeça zonza, o estômago enjoado ou queimando. Você torna-se incapaz de tomar uma decisão adequada.

Muitas pessoas levam vida normal e só passam pelos desafios naturais da vida na Terra. Você pode ser uma delas, dependendo das escolhas que faz. Também pode viver na paz ou na guerra, no bem ou no mal, cultivando tragédias, alimentando-se com elas, ou procurando preservar seu equilíbrio interior.

É a conquista da sabedoria. Meus amigos espirituais dizem que os espíritos evoluídos, nos mundos superiores, são chamados de "serenões" porque enfrentam qualquer situação sem perder a serenidade. Apesar disso, são mais sensíveis do que nós.

Há quem diga que ser dramático é ser sensível, avaliar a dor do outro. Isso não é verdade porque você só consegue auxiliar alguém de forma adequada, se tiver calma e presença de espírito.

A serenidade é uma conquista inteligente que passa pelo nosso esforço de entendermos os valores espirituais pautados pela elevação do nosso espírito e pelo controle dos nossos pensamentos na busca do equilíbrio emocional.

Neste mundo estamos mergulhados no oceano de energias de todos os níveis e as atraímos pela afinidade. Conforme acreditamos, tomamos atitudes, estabelecemos um campo de força que atrai os iguais.

Portanto, está em nossas mãos conquistar a serenidade, a lucidez que traz a sabedoria que nos transformará em pessoas equilibradas, felizes e de bem com a vida.

Fuja do exagero, seja no que for, saia do drama, pense sempre no melhor, discipline seus pensamentos, cuide de seu progresso em todas as áreas de sua vida. Para isso estamos aqui.

Cultive a alegria, aproveite a chance maravilhosa que a vida na Terra oferece. São meus votos.

Se você não faz drama, as coisas ficam mais fáceis. Às vezes, a solução está bem na sua frente.

27
EXCESSO DE CONSUMO

Fico admirada quando vejo pessoas levando cadeiras, café, lanches e passarem a noite na frente de uma loja em liquidação para comprar. Ao abrir a porta, elas invadem o recinto, correndo, tentando garantir a posse dos produtos como se isso fosse caso de vida ou morte.

O que me espanta não é o desejo de comprar um produto pelo menor preço, coisa que todos nós gostamos de fazer, mas a maneira como elas o fazem. Basta olhar suas fisionomias para notar que estão fora de si.

Nessa hora, vale tudo para conseguir fazer um bom negócio. Será que agir assim vai dar bom resultado? Esses produtos estarão em boas condições de uso?

Você vai dizer que eu digo isso porque tenho vida estabilizada e não sinto falta de nada. É verdade. Mas o bom senso cabe em todo lugar. Não seria mais adequado, procurar com calma, para não se arrepender depois?

Felizmente hoje já é possível comprar a prazo e pagar em prestações de forma suave. É verdade que os juros encarecem os produtos, mas para quem vive de salário e quer viver com conforto, só há esse caminho.

Em 1946, quando me casei com o Aldo Luiz, ele estava recomeçando a trabalhar. Dois anos antes, o Brasil entrara na guerra e ele foi convocado pelo Exército para servir no Corpo Expedicionário Brasileiro. Na época, éramos noivos e eu me recordo dos momentos de apreensão que vivemos.

Ele ficou em treinamento no batalhão, e de vez em quando um grupo de soldados embarcava para a Itália. Eu temia que o dia dele chegasse. Felizmente, isso não aconteceu. A guerra acabou em 1945 e ele deu baixa.

Ele ficou fora do mercado de trabalho esse tempo todo e precisou começar do zero. Viajou, conseguiu representações de vários produtos e montou um escritório.

Quando nos casamos, nosso dinheiro era contado. Não tínhamos geladeira, o fogão era a lenha, e eu cuidava de todo serviço doméstico na pequena casa onde morávamos.

Com muito esforço e trabalho fomos melhorando nosso padrão de vida. Nossa primeira geladeira foi comprada a prestação, levamos tempo para pagar. Claro que isso foi antes da inflação galopante que aconteceu depois.

Dessa forma fomos conseguindo mais conforto, os filhos começaram a chegar e, com eles, maiores necessidades. Mas fizemos tudo com bom senso e creio que foi um tempo feliz, onde aprendemos a valorizar cada vitória.

Estou relatando essa experiência porque acredito que ela possa fazer você refletir com cuidado e escolher como utilizar bem o seu dinheiro. Todo dinheiro que chega às suas mãos representa o valor do seu esforço e merece ser administrado de forma adequada.

Essa é uma das regras da prosperidade. Se o seu dinheiro anda escasseando é bom verificar suas crenças sobre o assunto. Seu dinheiro deve ser utilizado para lhe dar prazer, conforto, bem-estar.

Quando você o utiliza em coisas úteis, sem excessos, está sabendo lidar com seus valores e demonstra ser um bom administrador. A vida confia em você e em resposta vai lhe dar cada dia mais.

É hora de perguntar: Será que as pessoas estão comprando apenas o que precisam? Não estarão sendo levadas pela propaganda cujo objetivo é fazer você acreditar que precisa de coisas desnecessárias? Talvez isso já tenha lhe acontecido e esteja entulhando seus armários de coisas inúteis.

Se esse for seu caso, aproveite o momento para separar todos os objetos que você não usa e desfazer-se deles da forma que julgar melhor. Não se deixe seduzir pela propaganda. Resista. Só compre o que realmente precisa.

Assim, estará disciplinando sua vida e restaurando o próprio equilíbrio. Sentirá uma sensação de harmonia, de paz, terá mais domínio sobre seus atos. Tomará decisões mais adequadas que lhe trarão boas realizações.

A pretensão de querer mais do que se pode, ou o fato de não enxergar a própria capacidade, são ilusões que levam à frustração.

28
SOMOS ETERNOS

Sou uma entre tantas pessoas que se dedicam a pesquisar a vida e desejam contribuir para a construção de um mundo melhor.

Algumas pessoas me conhecem, mas se você não sabe, eu me dedico a pesquisar o velho tema: quem somos nós, de onde viemos, para onde vamos e porque estamos aqui.

Na verdade ainda não tenho todas as respostas, mas já sei que nosso espírito é eterno, que viemos de outras dimensões do universo, para onde voltaremos depois da morte, e estamos estagiando aqui em busca do autoconhecimento.

Cheguei a essa conclusão pressionada pela abertura inesperada da mediunidade que me fez contatar com seres das outras dimensões e comprovar todas essas coisas.

Talvez você nunca tenha se interessado por esse assunto, mas, fui informada, por espíritos amigos, que chegou a hora de começar a pensar nessa realidade.

O mundo está em um estágio que não dá mais para ignorar as leis divinas que regem a vida. A ignorância ainda domina muitos. E o sofrimento decorrente do destempero, da falta de ética, do egoísmo exacerbado, da ingenuidade, da inexperiência, da desonestidade, da ambição desmedida, castiga a todos, gerando depressão e infelicidade.

Você não pode omitir-se sob pena de vir a pagar um preço muito alto em razão disso. O comodismo contumaz, o desinteresse pelo que acontece com os demais, costuma atrair problemas que têm a finalidade de despertar seu espírito para que tome posse de sua vida pessoal e assuma sua responsabilidade para com a sociedade.

Você vai dizer que é uma pessoa do bem e não tem nenhuma responsabilidade com o que os outros fazem. É verdade. Cada um é responsável por si, livre para escolher suas atitudes e vai colher o resultado de suas escolhas.

Mas, se estou chamando sua atenção, pedindo que pense neste assunto, é para que você possa manter o próprio equilíbrio, apesar da inversão de valores da nossa sociedade e dos apelos constantes do mal que circula a seu redor.

É hora de fortalecer o espírito, de controlar o emocional, não dramatizar situações, e acreditar que existe uma força superior que trabalha a nosso favor.

Entretanto, para que você conquiste essa postura precisa conhecer seu poder interior e descobrir como a vida funciona.

A vida é muito mais do que nossos cinco sentidos podem medir. Ela é perfeita e se apesar do progresso científico que já conquistamos, ainda há muitos que preferem continuar na ignorância, o tempo para eles está contado.

Esgotado esse tempo, depois de sua morte, seus espíritos serão levados a nascer em um planeta primitivo, onde terão de enfrentar e vencer maiores desafios.

Livre dos maus, nossa sociedade entrará num processo de regeneração e o progresso se tornará mais fácil.

Você é um espírito eterno, em seu inconsciente há experiências de outras vidas, por esse motivo é que você nunca pensa que vai morrer. O sexto sentido é uma capacidade natural que você tem.

Você não precisa acreditar no que estou lhe dizendo. Mas reaja, pesquise, vá em busca da verdade.

Há livros de pesquisadores sérios sobre o assunto, informe-se, faça cursos e teste o que descobrir para saber se funciona. É gratificante comprovar essa realidade, sentir que você é muito mais do que pensa, que está em suas mãos construir uma vida melhor.

Ao tornar-se uma pessoa mais lúcida, saberá também o que fazer para atuar em sociedade e contribuir para o progresso de todos.

No dia em que você descobrir sua força interior e utilizá-la a seu favor, vencerá todos os desafios e acreditará no próprio poder.

29
A VIDA NUNCA ERRA

Alguém já disse que "a felicidade não é deste mundo". Apesar disso, dentro de você há uma força que o impulsiona a correr atrás de uma vida melhor.

Desde cedo você se preparou para conquistar um lugar melhor na família, na sociedade, no trabalho, estudando como obteria tudo isso. Com esforço e inteligência, fez projetos para o futuro, se dedicou ao máximo e alcançou muitas vitórias.

Tem o apoio da família, razoável situação financeira e pode dizer que seus desejos estão se realizando. Além disso, você tem fé em Deus e não prejudica ninguém.

Então por que aparecem tantos problemas desagradáveis no dia a dia? Será verdade mesmo que quem planta colhe? Há tantas pessoas maldosas se dando bem! Você poderia citar várias delas. O que está errado?

Nada. Está tudo certo. A vida nunca erra, ela é Deus em ação. Ao criar os espíritos à sua semelhança, deu-lhe potenciais a ser desenvolvidos, o livre-arbítrio e com ele a responsabilidade de cuidar do próprio progresso. O espírito faz escolhas e colhe os resultados.

Simples e ignorante como foi criado, fará muitas escolhas erradas durante seu trajeto no caminho da evolução e responderá pelos seus erros.

Ao criar os espíritos, Deus estabeleceu leis espirituais perfeitas com a finalidade de auxiliá-los nessa trajetória. Sempre que alguém faça uma escolha equivocada, a vida coloca em seu caminho alguns problemas que transformarão o erro em aprendizagem.

Mas ela só faz isso quando a pessoa já tem conhecimento suficiente para enfrentá-los e vencer.

As pessoas maldosas só estão se dando bem porque em sua ignorância, ainda não teriam capacidade de enfrentar certos problemas e aprender.

A vida só age com justiça e na hora certa. Ela nunca castiga, só promove o progresso.

O aparecimento de um problema desagradável é uma chance de progresso. Quando ele aparece, você pode até colocar a culpa nos outros ou acreditar que tenha sido vítima de uma fatalidade. Isso não é verdade. Diante da vida, você só responde por seus próprios atos.

A causa que provocou seu problema está dentro de você, no seu mundo interior. Você pode identificá-la, aceitando essa realidade, analisando suas crenças. Uma vez removendo a causa, terá aprendido a lição e o problema desaparecerá.

Se tiver dificuldade, experimente recolher-se em um lugar sossegado, elevar seu pensamento e com humildade pedir a Deus que lhe mostre o que está atraindo esse problema.

Vai surgir em sua mente um pensamento, uma crença que indique o que deseja saber. Continue analisando e poderá até encontrar detalhes e soluções para resolvê-lo.

Se não conseguir de pronto, não desista. Continue a sua busca insistindo em procurar a causa, porque ela está lá e com o tempo acabará conseguindo.

A vida também trabalha através dos sonhos e poderá mostrar-lhe por meio deles, coisas que você não está querendo enxergar. Esteja certo de que ela também dará outros sinais, chamando sua atenção para certos fatos, frases, que podem oferecer-lhe as respostas que procura.

O mais importante é saber que seja o qual for o problema que o esteja incomodando, se ele apareceu significa que você tem condição de resolvê-lo.

Nem sempre a solução virá do jeito que você gostaria, mas sim da forma melhor que poderá ser. Cada problema vem junto com a lição, traz a experiência, acaba com a ilusão. Não se lamente por isso porque a verdade traz lucidez. Você fará melhores escolhas, colherá ótimos resultados, se tornará uma pessoa melhor e mais feliz.

Não se deixe cair pelos problemas do dia a dia. Reaja, você tem o poder de cuidar da própria vida, o poder é seu. Fique no bem.

30
CADA UM TEM UM JEITO

Há momentos na vida em que precisamos enfrentar uma situação conflitante e nos sentimos indecisos. Não temos uma visão clara, não sabemos como agir. As emoções se misturam e nos confundem a tal ponto que nossos valores verdadeiros perdem a importância e as dificuldades tornam-se maiores.

Quando estamos nessa encruzilhada, é o momento de parar, não tomar nenhuma decisão. O primeiro passo é dar um basta à cabeça, onde o tumulto de pensamentos conflitantes nos impede de enxergar as coisas como elas são. A verdade, ainda que difícil, sempre será melhor do que a ilusão.

Confie na vida e relaxe! Não se impressione com os pensamentos trágicos, assustadores que surgem, mas que nunca se realizarão. Faça melhor, mergulhe em seus sentimentos e perceba quais são seus desejos íntimos e o que lhe daria bem-estar e alegria. Busque o equilíbrio.

Descobrirá que dentro do seu coração há uma vontade muito forte de vencer os obstáculos, encontrar uma solução genial, que não só lhe devolva a autoestima, como o faça sentir o próprio poder para solucionar os conflitos do dia a dia. Os desafios surgem para estimular seu progresso e ensinar-lhe como a vida funciona.

Ao amadurecer, descobrirá que o universo é regido por leis perfeitas que além de manterem o equilíbrio das energias e dos planetas, trabalham a favor do progresso de todos os seres. A evolução é fatal no processo da vida e a mudança constante, uma necessidade.

Um dia sentirá que seu espírito é eterno [criado simples e ignorante à semelhança de Deus] e está estagiando na Terra para desenvolver a consciência e conquistar a sabedoria; que a reencarnação é um fato e o esquecimento do passado um alívio que contribui para o sucesso dos objetivos de cada um.

Mas o fato é que as experiências ruins de outras vidas, embora temporariamente esquecidas, permanecem nas profundezas do nosso inconsciente e embora atenuadas, continuam nos influenciando.

É preciso um esforço muito grande e muita persistência, para eliminarmos o negativismo hoje, na nova vida. É muito importante ficar no bem maior, exercer a generosidade e cooperar no progresso de todos.

Você pode não acreditar em tudo que estou afirmando. Pode ser que ainda não tenha tido as provas dessa realidade como eu as tive. Talvez porque ainda ignore a própria riqueza interior e prefira olhar para fora de si, dando mais importância ao que os outros pensam ou dizem, deixando-se levar pelas aparências.

Escolher viver focado nos problemas do mundo é mergulhar na tensão e no negativismo, atrair a maldade para suas vidas. É criar para si um campo energético favorável ao desenvolvimento de doenças crônicas de difícil diagnóstico e não ter sucesso em seus projetos, em todas as áreas de sua vida.

Cada um tem seu tempo e suas necessidades. Mas um dia, quando você acordar, vai se lembrar do que estou lhe contando e perceber que é mais fácil seguir adiante com inteligência do que aprender pelos caminhos da dor.

É muito bom poder dormir em paz, confiando que durante o sono você poderá visitar outras dimensões e renovar suas energias.

Acordar cada manhã disposto a cuidar de tudo com alegria e prazer, valorizando a beleza nas pequenas singularidades, criando momentos de simplicidade e realização. Essa é minha forma de aproveitar os bons momentos, com as pessoas que eu amo e a vida colocou ao meu lado, me apoiando e trocando experiências.

Você não acha que vale a pena tentar esse caminho? Experimente e verá!

A inteligência nos ajuda a viver com menos sofrimento. Apoie-se em qualquer circunstância. Você nunca erra!

31

POR UMA VIDA MELHOR

Você acredita na manifestação dos espíritos? Tem certeza de que quem morre viaja para outras dimensões do universo onde continua a viver, uma vida [guardadas as devidas proporções] semelhante à que vivia na Terra?

Muitos gostariam de ter essa certeza, principalmente quando a morte comparece e a dor do "nunca mais" fere seus sentimentos. Outros, mesmo não tendo ainda sofrido nenhuma perda, temem o desconhecido, vivem atemorizados diante dessa possibilidade.

Tem gente que ainda está em cima do muro. Há momentos em que crê, mas, outros que não. Quando pensa nisso, uma voz fala em sua cabeça, questionando e o medo reaparece. Lá se vai a paz.

E o medo paralisa, impede que você desenvolva projetos em todas as áreas de sua vida. Na verdade, para se obter êxito em qualquer coisa é preciso acreditar que pode conseguir. É preciso confiar na própria capacidade e é fundamental saber o que se quer.

O autoconhecimento é a base do progresso. Quando você cria o hábito de analisar seus sentimentos, descobre o que precisa para ser feliz, estabelece um foco prioritário, fundamental para alcançar seus objetivos.

Sem isso, suas energias ficam dispersivas, e você por mais que se esforce, continuará andando em círculos, sem sair do lugar.

Quando você sabe que é eterno e continuará vivendo em outro lugar mesmo depois da morte do corpo, seja qual for o desafio que apareça, você terá melhores condições para enfrentar. Sabendo que a morte é apenas uma transição, uma mudança, seus medos perderão muito a força.

Claro que ainda vai sobrar certo receio por ignorar como será sua passagem, sabendo que quando chegar a sua hora, terá de ir embora sozinho, deixando as pessoas que ama, os bens que possui, a rotina a que estava habituado.

Se você for muito carente e apegado, sofrerá mais. Mas se não for dramático e não exagerar a situação, poderá sentir o prazer da aventura, de saber como é a vida nas outras dimensões.

Foi o que aconteceu com meu querido amigo doutor Silveira Sampaio. Depois da morte, ele descobriu tantas novidades no outro mundo que voltou para escrever os quatro livros que tive o prazer de secretariar, contando o que viu por lá.

Com seu humor, sua verve de escritor irreverente e alegre, Silveira Sampaio proporcionou-me momentos de prazer e reflexão. Também nessa viagem, você pode reencontrar as pessoas que ama e que já partiram.

Se você deseja descobrir a verdade, estude o assunto. Vá a uma boa livraria e pesquise. Há muitos cientistas e pesquisadores famosos que relataram suas experiências em livros.

Você vai se surpreender quando descobrir, por exemplo, que o presidente Abraham Lincoln fazia sessões espíritas na Casa Branca e teve premonição da própria morte. Que Monteiro Lobato fazia sessões com médiuns em sua casa, uma pessoa escrevia a ata e todos assinavam. Que o Instituto de Psicobiofísica registrou, pesquisou e comprovou muitos casos de reencarnação. Que Sir William Crookes, cientista inglês, estudou os fenômenos de materialização do espírito de Katie King, fotografou o espírito materializado, mediu seus batimentos cardíacos, sua pressão arterial, publicou toda essa pesquisa no livro *Fatos Espíritas*. Há muitos outros, é só você procurar.

Eu tenho insistido nisso porque quando você adquire essa certeza, sua vida muda para melhor. Você fica mais lúcido, mais atento, mais forte e menos ansioso.

Ao saber que espíritos iluminados estão à nossa volta, querendo nos auxiliar, nos momentos de dificuldade, quando não sabemos o que fazer, podemos nos unir a eles e pedir inspiração e ajuda. Não acha uma boa ideia?

A certeza da sabedoria da vida fortalece.
A crença na espiritualidade conforta,
esclarece e amplia a visão.

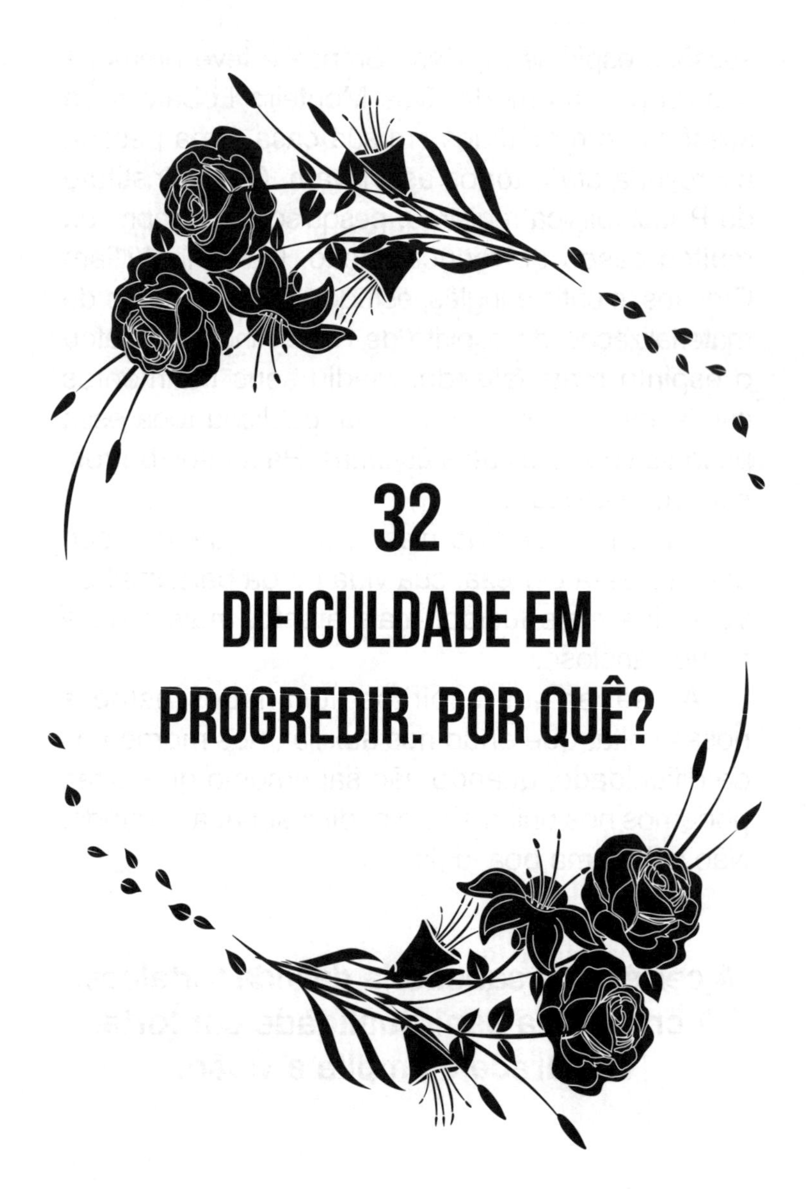

32

DIFICULDADE EM PROGREDIR. POR QUÊ?

Se você é um profissional, mas não consegue progredir no trabalho, precisa com urgência rever suas atitudes.

Pensamento é energia e o que você crê, sua forma de ver, cria um campo magnético que determina os acontecimentos no seu dia a dia.

Mesmo que não acredite, onde você for suas energias se comunicam inspirando sentimentos nos outros. Basta observar o que sente quando encontra as pessoas.

Quando se trata de alguém otimista, de bem com a vida, você sentirá uma sensação prazerosa, mas se ela estiver deprimida, triste, mesmo que procure disfarçar, manifestando alegria, você a achará maçante, terá vontade de ir embora o quanto antes, poderá sentir certo mal estar, peso, dor de cabeça, enjoo e indisposição.

É que as energias negativas nos empurram para baixo, nos deixam inseguros, perdemos a ousadia natural e não conseguimos progredir.

Quem presta a atenção ao que sente, abre a intuição e vai além do que parece porque as energias refletem o íntimo de cada um. Nunca se engana e consegue evitar muitos problemas de relacionamento.

Se você está com dificuldade no trabalho, saiba que a causa está em você e precisa identificá-la para reverter a situação. Mesmo que seja um bom profissional, há outros elementos que podem interferir e limitar seu sucesso. Conforme você acredita, você atrai. Suas crenças se expressam através de suas atitudes.

Para descobrir a verdade, você terá que entrar no seu sentir e rever toda sua vida.

Na infância, é comum acreditar em tudo que os outros dizem, aceitar falsas crenças como verdadeiras. Nos pais, que muitas vezes, ignoram que cada ser humano tem uma vocação que Deus lhe deu e partindo para outros interesses, nunca conseguirá progredir porque lhe faltará entusiasmo e realização. Nos professores, ou mesmo na cultura onde os modismos generalizam.

Procure lembrar-se quem em sua família costumava dizer frases que o colocavam para baixo, cortando seu entusiasmo. Isso é muito comum para quem se impressiona com pessoas que são bem sucedidas e pretendem ensinar a todos. Copiar os outros nunca deu certo porque você é diferente.

Neste mundo não há duas pessoas iguais. Cada um é um. A criação é versátil e a diversidade é elemento importante para o progresso do mundo uma vez que cada um terá que dar sua contribuição para o progresso de todos.

Se deseja progredir, descubra sua vocação, dedique-se ao que gosta e seja o melhor que puder dentro da área que escolher. Acredite que você tem o apoio divino e foi preparado para ter sucesso em todas as áreas de sua vida.

Mas terá de desempenhar sua parte nesse processo. A vida trabalha por mérito e nunca premiará alguém que tenta ludibriar as leis divinas. Ao contrário, tudo fará para que você reconheça e assuma a sua responsabilidade e se esforce para conquistar o próprio sucesso.

Enquanto não fizer isso, continuará na dificuldade. Não adianta rezar e pedir a Deus que o ajude. Seu espírito é eterno. Deus o criou, [simples e ignorante] à sua semelhança, Ele já lhe deu um potencial onde há tudo que precisa para conquistar a sabedoria e ser feliz. Você tem capacidade de desenvolver esse potencial e, quando o fizer, terá todo apoio das forças divinas.

Não perca mais tempo. É hora de fazer o que você programou antes de nascer. Acredite em sua força e vá em frente. Só você tem o poder de decidir. Experimente.

O que ajuda você é descobrir o que é seu. Cada um vem com uma capacidade diferenciada. Cada um é um.

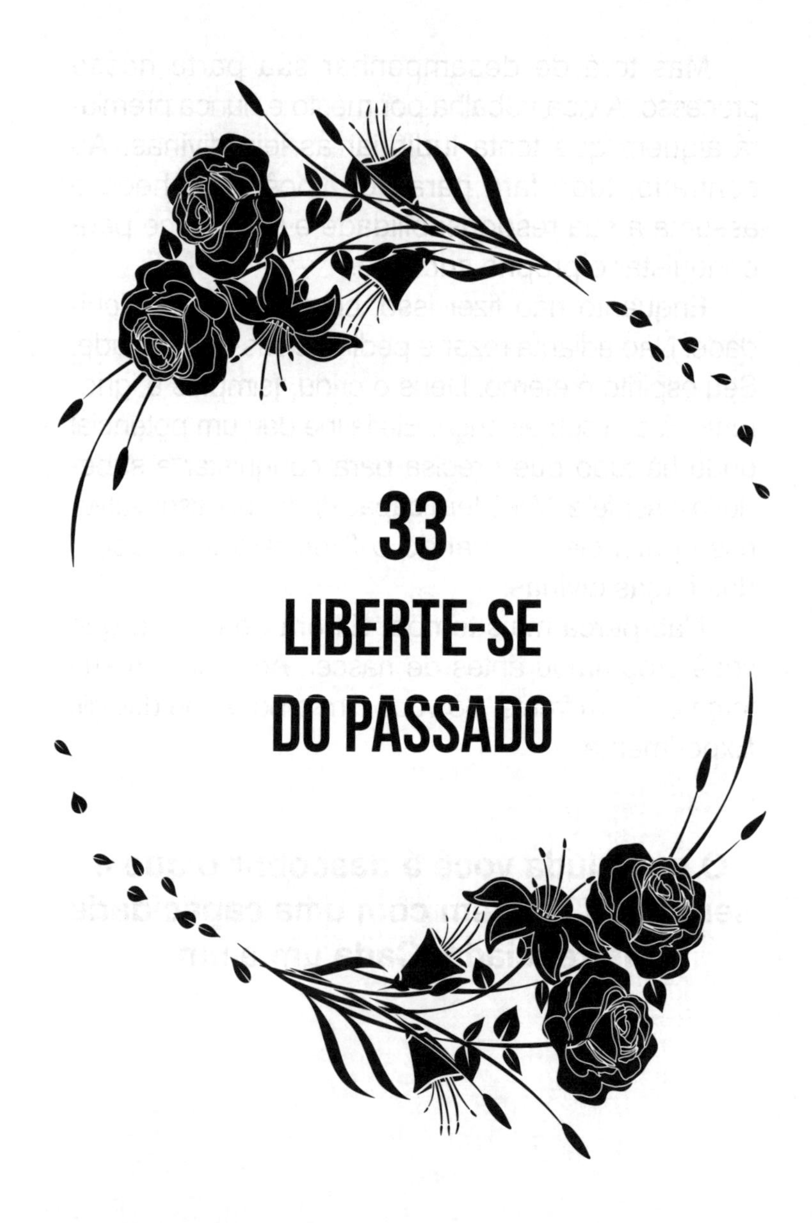

33

LIBERTE-SE DO PASSADO

Todo poder de realização está dentro de você, mas só se exterioriza quando você toma posse e assume que é capaz. Saiba que dentro do seu espírito a vida colocou todos os elementos de que precisa para evoluir. Você só precisa tomar consciência e usar.

Há que ficar atento e sair dos condicionamentos negativos da mente. Eles estão automatizados e manifestam-se sempre que algum acontecimento lembre os fatos que lhe deram origem no passado. São repetitivos, dando chance à análise, ao entendimento e à libertação.

Para que você possa dar um passo a frente, despeça-se do passado. O que aconteceu uma vez, não vai acontecer de novo porque nos últimos tempos você aprendeu coisas novas, descobriu outras formas de reagir e cuidar do seu bem-estar.

Cultivar o passado, ainda que seja de forma inconsciente, sobrecarrega sua vida de elementos negativos.

É muito bom sair da rotina, ver coisas novas. Experimentar emoções com naturalidade, sem esforço ou tensão, sabendo que elas fazem parte da sua natureza. Não se impressione com elas. Tudo a que você dá importância passa a fazer parte de sua vida.

Sentir o bem e deixar fluir é estar no fluxo da vida. Apreciar a beleza, a alegria de dar, de compartilhar, de distribuir é integrar-se com a vida. É aprender, é desenvolver conhecimento, trocar experiências e enriquecer o espírito.

A Terra é o planeta das experiências. É um grande laboratório na conquista da sabedoria, criado para desenvolver nossa consciência daquilo que já é. Onde a beleza, o equilíbrio das energias, a força da vida se manifestam. Como tudo na natureza, este planeta é um ser vivo, atuante, com função definida.

Integrar-se nesse fluxo com respeito, dando o melhor de si, querendo o melhor, obtém apoio e proteção das forças positivas do universo. Viver é entender, descobrir, experimentar a grandeza da vida e crescer com ela. Para isto viemos e estamos vivendo aqui.

Aproveite este privilégio. Você não sabe quando terá que voltar para sua casa de origem.

Nós viemos de uma dimensão do universo onde a vida se processa de forma mais intensa e rápida. Conforme informações dos meus amigos espirituais, reencarnar na Terra é como vestir um escafandro e caminhar nas profundezas do mar. Há que andar mais devagar.

Neste mundo, para realizarmos nossos projetos, torna-se preciso persistência, preparo, conhecimento e empenho. Conforme nosso desempenho, as leis divinas nos respondem e assim, passo a passo, nós vamos conquistando a sabedoria.

"Conhecereis a verdade e ela vos tornará livres!", são palavras de Jesus. Ignorar as leis divinas nos leva a cometer erros e a sofrer. Nos iludimos com facilidade e pagamos o preço da aprendizagem.

Acreditar que a verdade da vida seja sofrimento e dor é olhar apenas as aparências. É negar que a resistência do ser ao próprio desenvolvimento seja a causa de seus sofrimentos. É ignorar a eternidade do espírito, sua caminhada na trilha da evolução para desenvolver todo seu potencial a fim de cooperar com Deus na manutenção do universo, trabalhando em benefício de todos.

Pense nisso e acorde para a vida espiritual. Quanto mais você se interessar em estudar a vida, notar como ela funciona, descobrir aquilo que é, mas rápido estará dizendo adeus aos sofrimentos e construindo uma vida farta, prazerosa, cheia de alegria, amor e luz.

Nossa alma quer paz, alegria, bem-estar. A vida é grandiosa, vamos respeitar e seguir adiante, valorizando o bem.

34

SEM MEDO DO FUTURO

A onda de violência que assola o mundo está cada dia mais próxima. Agora, está em nosso país, em nossa cidade, perto de nossa casa. Cada um procura proteger-se como pode, fecha-se em grades, muda seus hábitos, deixa de circular à noite, mas isso não garante sua segurança.

Há quem tenha previsto que o mundo iria acabar em 2012. Premonições como essa já ocorreram outras vezes e ainda estamos aqui. É bom observar que há mais de dois mil anos, Jesus previu o que estamos enfrentando hoje.

A vida na Terra está chegando ao fim de um ciclo e iniciando outro melhor. Neste planeta reencarnaram espíritos de determinada faixa de evolução, uns mais evoluídos, outros menos, mas todos com possibilidades de desenvolver a consciência e aproveitar as experiências que a vida material possa lhes proporcionar. Foi lhes dado prazo para essa conquista, findo o qual só continuariam reencarnando no planeta os que alcançassem certo nível energético, comprovando o aproveitamento desta oportunidade.

Nosso espírito foi criado simples e ignorante, à semelhança de Deus. Tem dentro de si o potencial divino, capaz de criar o próprio progresso, tomar consciência da própria capacidade e conquistar a sabedoria.

Para aqueles que não alcançarem o nível necessário haverá o expurgo, onde os que não evoluíram teriam de reencarnar em um planeta onde há uma civilização mais primitiva, sem as facilidades e o conforto que temos na Terra.

Segundo meus amigos espirituais, esse expurgo já começou. O aumento da violência neste fim de ciclo deve-se a uma varredura feita no astral ligado ao nosso planeta que precisa ser também restaurado para que a população encarnada aqui possa desfrutar de uma vida menos atribulada pela influência das energias desses espíritos.

Nós que optamos pelo bem, que não entramos na maldade seja de quem for, estamos nos esforçando para melhorar nossos pensamentos, fazer o nosso melhor em todos os momentos, precisamos vencer os medos e confiar na Providência Divina.

"Os mansos herdarão a Terra!", já dizia Jesus.

Diante do que estamos vendo todos os dias na mídia, não é fácil vencer o medo e nos proteger, estamos tentando, mas não temos como interferir na vida interior das pessoas que amamos quando se expõem aos riscos em ambientes perigosos.

Cada um é responsável por suas atitudes e por mais que você se esforce, aconselhe, dê exemplos edificantes para todos à sua volta, pode não ser suficiente para evitar o mal, quando a pessoa continua a manter atitudes destrutivas e não assume a responsabilidade sobre a própria vida, fazendo seu melhor.

Um espírito menos evoluído reencarna em uma família de bom nível espiritual a fim de ter a chance de melhorar. Mas o êxito vai depender de como ele escolhe viver. Se fracassar, terá de enfrentar as consequências e aprender a melhorar suas escolhas.

Se você tem alguém assim em sua família, não entre na culpa e encare as coisas como elas são. Quando fez tudo que sabia e não foi ouvido, o melhor é entregar a situação nas mãos de Deus. Tudo que você não pode, Deus pode.

A sabedoria da vida tem como ensinar a cada um a lição que precisa para levá-lo ao bem. Lembre-se: o espírito é eterno e sua evolução é fatal. O universo trabalha nesse sentido.

Não se atormente com o que não pode mudar. Aceite a própria impotência. Reze, acalme seu coração, cuide de si mesmo, fique bem. Você só é responsável pelas suas atitudes. Dedique-se a coisas que lhe causem prazer.

Confie na vida. Só quem está bem tem condições de ajudar a quem quer que seja. Pense nisso e siga adiante. Dias melhores virão.

Nós só vamos conseguir equilíbrio e ficar no bem, se ficarmos alegres desde agora. Olhe o futuro como uma coisa boa.

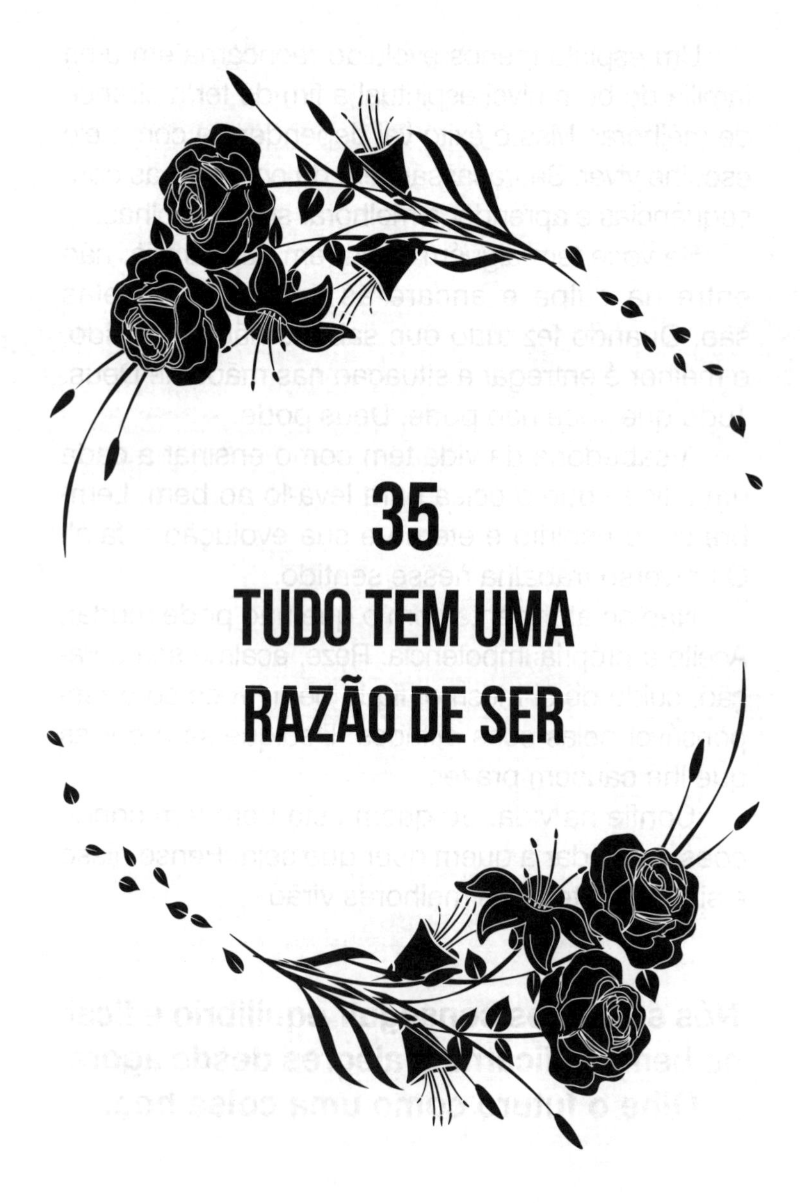

35
TUDO TEM UMA RAZÃO DE SER

Estamos aqui para desenvolver a consciência e aprender a viver melhor. Conhecer e respeitar as leis divinas que regem a vida traz lucidez, faz com que alcancemos o progresso de forma inteligente e com menos sofrimento.

O primeiro passo é prestar atenção em como a vida age com sabedoria, nas pequenas coisas, com perfeição e capricho, distribuindo beleza e perfume.

Perceba que as mudanças, mesmo as que não são drásticas e difíceis, possuem o poder de quebrar o muro da resistência dos que se demoram na rigidez, mudando o enfoque, abrindo o entendimento, os olhos de ver as coisas como elas são.

Nada é inútil. Tudo tem uma razão de ser, ainda mesmo quando trabalham no silêncio da alma e podem passar desapercebidas. Mas, elas estão lá, derrubando barreiras da incredulidade, provando o que é.

E um dia a pessoa reage diferente, enxerga o que não via, muda para melhor. Observe as bênçãos que a vida na Terra oferece.

O trabalho é a força propulsora do progresso, desenvolve a inteligência, movimenta os recursos que a vida dispõe, desenvolve os potenciais do espírito, amadurece e dignifica o ser.

Ter alegria alimenta o espírito, mantém a saúde, fortalece o corpo, renova oportunidades, distribui energias positivas, ilumina o ser.

A generosidade, a compaixão, é a expressão do amor, traz bem-estar, renova os caminhos, estabelece sintonia com o bem verdadeiro, eleva o espírito.

A gratidão é o sentimento profundo do reconhecimento de todo o bem que a vida lhe deu desde a criação e estabelece a responsabilidade de dividir essas conquistas com todas as pessoas.

A firmeza nos propósitos superiores do espírito aparece quando já se tem certo nível de elevação e faz com que os outros aprendam com suas atitudes e seu modo de ver.

Mas, para aqueles que ainda se demoram iludidos com enganosas aparências mundanas, a aprendizagem será mais dolorosa. Observam os acontecimentos do dia a dia através da óptica materialista, que limita as perspectivas, oferece uma visão trágica e injusta da realidade.

Essa forma de ver favorece a irresponsabilidade, a ganância, o salve-se quem puder. O trabalho requer disciplina, mas para o indisciplinado é visto como um cárcere. A doença também.

A falta de fé faz com que não vejam saída para os próprios problemas. A insatisfação gera depressão, infelicidade, revolta, desespero. Alguns vão para as drogas, outros para o crime e só vão acordar quando a vida responder às suas escolhas, arrancando suas ilusões, escancarando a verdade.

O conhecimento é luz, despertando o espírito em toda sua capacidade divina e seu glorioso destino.

O prazer da conquista da elevação espiritual exala uma energia de amor forte e constante capaz de criar laços eternos entre as pessoas.

A contemplação permite observar as coisas em sua diversidade inteligente e amealhar sabedoria, lucidez, desenvolve a intuição e oferece grande serenidade e bem-estar. Todas essas qualidades são divinas quando exercidas com dedicação e conhecimento, inteligência e elevação.

Observe, estude, abra o coração, a alma, siga adiante sem medo. Aproveite o tempo presente, alegre-se, assuma seu poder e vença os desafios com coragem e fé.

Esse é o caminho a ser percorrido. Um dia você vai chegar lá!

As coisas acontecem porque têm que acontecer. Sempre têm um motivo. A vida faz tudo certo.

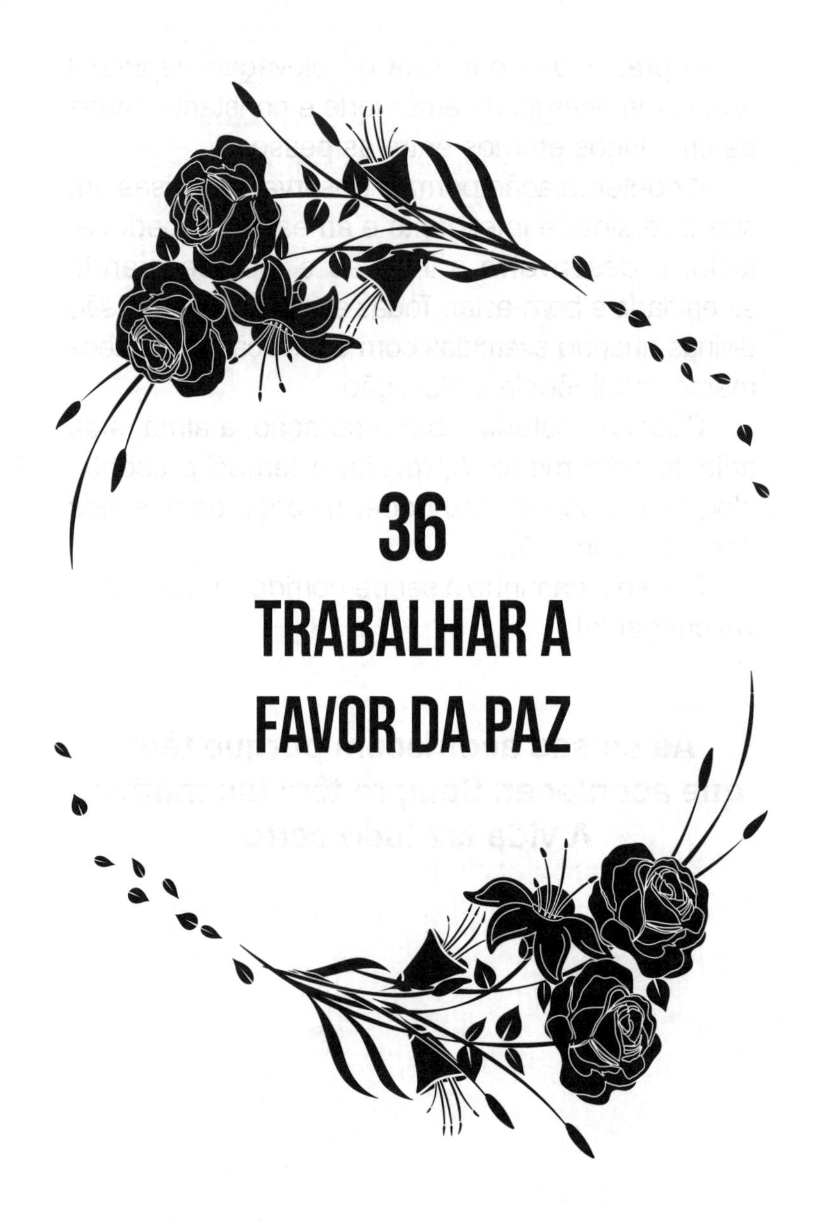

36

TRABALHAR A FAVOR DA PAZ

Está na hora de trabalharmos a favor da paz. Não a paz da conveniência, da aparência e do comodismo. Mas a paz que nossa alma anseia, onde todos nós possamos viver bem e com dignidade.

Parece difícil isso? Eu acredito que não. Claro que vamos precisar de vários elementos sem os quais a paz não seria possível. Algumas circunstâncias precisariam ser modificadas para que houvesse condições.

Entretanto, a cada dia a humanidade está evoluindo [embora não pareça, mas está], muitas pessoas já se conscientizaram dessa necessidade e se esforçam para conquistar mais serenidade.

Parece-me ouvir sua frase:

— Como ter paz vivendo em um mundo tão perturbado, onde acontecem tantas coisas ruins? É impossível!

Essa é uma escolha que cada um de nós tem de fazer para manter o mínimo de equilíbrio e poder cuidar das suas responsabilidades com disposição, alegria, mantendo pensamentos positivos.

Isso porque as energias ruins estão multiplicadas à nossa volta e é preciso estar atento aos pensamentos que captamos dos outros, que energeticamente nos atingem e nos deixam mal.

Em vez de ficar questionando se aquele pensamento desagradável é seu ou não, o melhor é recusá-lo assim que aparecer:

— Isso não é meu! Eu só tenho pensamentos bons.

Mude o foco, fazendo alguma coisa boa do seu interesse, sem ficar alimentando essas energias.

Quanto mais rápida for essa reação, melhor você se sentirá e estará preservando sua paz interior.

Esse fato envolve todas as pessoas porque a sensibilidade do ser humano é geral. Todos somos médiuns de incorporação. Preste atenção e você vai descobrir essa verdade.

Quantas vezes você incorporou atitudes dos outros? Quantas vezes agiu e fez coisas sem pensar?

Todos nós desejamos ser aceitos, amados, valorizados, ter sucesso, o que é natural e do nosso temperamento. Às vezes, querendo conquistar nosso espaço confundimos as coisas e nos colocamos no lugar errado.

Em vez de nos ligarmos ao nosso mundo interior, sentirmos nossos anseios, descobrirmos o que nos fará felizes e realizados, preferimos ignorar nosso temperamento, nossa verdade e colocamos a sociedade e o mundo como base e tudo fazemos para que os outros nos entendam e admirem.

Nada mais frustrante do que isso. Os outros não estão interessados em nosso bem-estar, cada um está querendo seguir o próprio caminho.

Mesmo aqueles que nos amam, embora desejem, não conseguem nos ajudar por que não podem entrar no nosso espírito, em nossas vivências de outras vidas e saber o que precisamos.

Quanto mais você ficar preso nas ideias do mundo, fazendo o que os outros querem, mais desilusão, mais dor, mais depressão, terá.

É você quem tem o poder de sentir sua verdade e cuidar do amadurecimento do seu espírito. Essa é sua maior responsabilidade diante da vida.

O criador colocou dentro do seu espírito tudo que precisa para seu desenvolvimento, fez leis que disciplinam, educam, respondem às suas escolhas.

A intuição, o bom senso, a força, o querer e a vontade estão no seu mundo interior. Quanto mais você entender isso e utilizá-los, mais bem-sucedido será. Quanto mais você ficar na verdade do que é, mais valorizado será.

A serenidade e a paz serão uma conquista e você aprenderá a mantê-las, mesmo que o mundo continue conturbado. Enquanto os outros continuam agitados e inquietos, você poderá oferecer-lhes energias de amor e de confiança em dias melhores. Um dia eles também estarão lá!

Vamos preservar a nossa paz. Só em paz conseguimos ver as coisas como elas realmente são.

37

ENCARAR A MORTE DE FORMA NATURAL

A morte é um fato normal da vida e todos nós um dia teremos de enfrentá-la. As pessoas ainda não descobriram uma forma mais natural de lidar com a perda dos entes queridos.

A incerteza da sobrevivência após a morte bate duro nos sentimentos dos que ficam. Quanto mais apego, mais dor. Quanto menos fé, mais revolta. Quanto mais materialismo, mais depressão.

Todavia, a morte faz parte da vida e a vida é a manifestação divina de perfeição e bondade. Deus não erra e sempre faz o melhor. Logo, a morte só pode ser um bem que em nossos acanhados limites de percepção ainda não conseguimos avaliar. Negar isso seria negar o amor divino e reduzir o Criador a um Deus vingativo, cruel e injusto.

Estudar e compreender o processo de evolução ajuda a perceber como a vida funciona, seus objetivos fundamentais e os valores imprescindíveis para obter uma reencarnação longa e proveitosa neste mundo, usufruindo de saúde física e mental dentro de nosso nível espiritual.

Você reencarnou na Terra para aprender como funcionam as leis que regem a vida e a disciplinar a mente. Aqui a atmosfera mais densa torna a ação mais lenta, possibilita melhor controle de seus pensamentos e de suas atitudes, o que favorece a aprendizagem.

Entre uma ação e a reação correspondente há um espaço de tempo. Durante esse espaço de tempo, a vida bombardeia você com estímulos para que perceba seus enganos, interfira no processo, melhore seu desempenho.

Não reparou que quando está vivenciando um problema, as pessoas que cruzam seu caminho têm situações semelhantes?

A vida pretende conscientizar não justiçar. Quando você alarga a consciência e assume atitudes mais adequadas, ela responde de acordo com sua nova postura. Tudo quanto lhe acontece é resultado do que você acredita.

Dessa forma, podemos concluir que não existem vítimas. Apenas pessoas que não respondem aos estímulos suaves. Estão tão fechadas dentro dos contextos sociais, da lógica materialista, do racionalismo, que se negam a receber o que a vida tenta lhes mostrar. Para elas, só um estímulo forte, dramático, poderá romper com suas "defesas" e derrubar as barricadas da sua ilusão.

O progresso é inevitável. Esgotadas todas as tentativas, chega um momento em que só a dor vai funcionar. As tragédias só acontecem a quem precisa delas para aprender.

Observando isso, não será lícito pensar que a vida aproveita a ignorância dos espíritos mais primitivos que estão encarnados na Terra e usa suas atitudes drásticas para acordar os que estão acomodados para dar um passo adiante?

Talvez a diversidade e a mistura de níveis espirituais dos espíritos que reencarnam aqui, seja exatamente para agilizar a evolução. Sendo que a bondade divina transforma até a maldade [a ignorância] em bem.

Porque no final, só o bem é real. A bondade divina cobre todas as criaturas, com seu amor constante, dá a cada ser a possibilidade de criar o próprio destino e conquistar a felicidade.

Você é responsável por sua vida. A certeza de que não há injustiças, que tudo está certo como está, alivia, acalma. Você que chora a dor da perda, reflita o quanto mudou com ela.

Isso também aconteceu com quem partiu. O espírito é eterno, a separação é temporária. Um dia todos estarão juntos de novo.

Até lá, dedique-se à renovação interior, valorize as coisas boas que já tem. Cultive o otimismo, a paz. Dias melhores virão. Você ainda pode ser feliz!

Todas as coisas têm prazo de validade. Nada dura para sempre. Aceitar as mudanças revela bom senso e sabedoria.

38

CAUTELA E COMODISMO. HÁ DIFERENÇA?

Todos nós desejamos vencer na vida, realizar nossos projetos, conquistar uma vida melhor. Para sair da mesmice, há que se ter a ousadia de mudar, acreditar na própria força e seguir sem medo.

Contudo, diante dos problemas que assolam o mundo, onde a desonestidade e a violência campeiam, sentimos que é preciso agir com cautela. Esse pensamento favorece a que o medo nos empurre para o comodismo.

Essa questão tem me incomodado. Cautela e comodismo. Até onde vai uma e começa a outra?

Ser cauteloso ajuda a evitar problemas desagradáveis, mas ser comodista certamente vai solapar nossa coragem, anular a criatividade, nos tornar presa fácil do domínio dos outros. É isso que acontece quando você não toma conta do seu pedaço.

Você á da turma do “deixa pra lá” não se colocando quando as pessoas invadem seu espaço, odeia discutir, fica calada, afasta-se para não “arranjar confusão”?

Faz isso porque adora viver em paz. O que, aliás, não consegue. Parece até perseguição. Sua vida está um verdadeiro conflito. Tudo quanto é “encrenca” vai sempre acabar em você. Por que será?

Reclamar, chorar e até rezar não vai mudar nada. É preciso identificar como você está atraindo isso. Depois, é só substituir a atitude causadora por outra que lhe traga aquilo que deseja.

Teoricamente, é fácil. Na prática terá de enfrentar seu senso de defesa. Já notou como ele é forte? Você está sempre se defendendo de tudo e de todos.

A segurança é fundamental e tudo que poderia colocá-la em risco se transforma em resistência. Você resiste a qualquer mudança!

É preciso coragem, ousadia e confiança para vencer na vida. Quem está no comando do próprio destino tem essas qualidades. Isso eu sei, mas como encontrar o ponto de equilíbrio? Como saber se posicionar, ser firme sem ser agressivo nem invadir o espaço dos outros? Como ousar, ser diferente da maioria? Como confiar na vida conhecendo tão pouco de suas leis?

E o medo de sofrer? O que é mimo e o que é real? Difícil saber, não é verdade? Só sei que tenho procurado "ler" os acontecimentos de meu dia a dia.

Cada um é resultado de alguma atitude minha. É a única forma de conhecer a verdade. Pelo fruto se conhece a árvore, pelos resultados se sabe como estamos nos comportando. Se são bons, estamos do nosso lado, no caminho certo; se são ruins, estamos contra nós e tudo vai dar errado.

Você vai alegar que está sempre a seu favor, fazendo seu melhor, se esforçando para realizar seus projetos. Mas se está infeliz e cheio de problemas, isso não é verdade. Dentro de você deve haver alguma falsa crença, na qual você acredita, fazendo com que algumas de suas escolhas sejam equivocadas.

Analise seu mundo interior, reveja suas atitudes, perceba até que ponto se deixou envolver pelo que os outros dizem. Há frases que em certo momento demos importância e elas passaram a fazer parte da nossa vida, nos influenciando a tomar atitudes cujos resultados serão negativos.

Tente sentir até onde você está sendo comodista, fugindo para não enfrentar as dificuldades, ou sendo cauteloso "tentando" não se meter na vida alheia.

Perceber essa diferença é um bom começo para quem quer encontrar a verdadeira paz. Poder posicionar-se sem agressividade, dizer o que sente. Proteger seu espaço é saudável e atrai respeito.

O prazer da coragem e a sensação de poder quando você enfrenta e resolve uma dificuldade não têm preço.

Cada vitória fortalece sua ousadia, abre seu discernimento, sua intuição; mostra como e até onde você pode ir, traz confiança em si. Experimente.

A vida é amorosa. Fique firme que as coisas melhorarão e vencerá os desafios.

39
O CIÚME!

Há quem diga que o ciúme é prova de amor. Não creio. Claro que em um relacionamento amoroso, há certo cuidado em manter acesa a chama do interesse a fim de que o amor "seja infinito enquanto dure", como disse o poeta.

O que tenho observado é que o ciúme, quando em excesso, transforma a vida a dois em um inferno, acaba com o amor.

Se você está amando, quer construir uma relação duradoura e prazerosa, terá de aprender a dominar o ciúme.

O amor se sustenta pela admiração que você sente pelo parceiro e por esse motivo, imagina que ele possa despertar o mesmo sentimento em outras pessoas, tem medo de perder a parada. Esse sentimento é uma armadilha que vai atrair exatamente o que você teme.

O ciúme é um problema emocional terrível. É bom perceber as várias causas que podem provocá-lo e libertar-se delas:

- Falta de confiança em si;
- Crenças adquiridas sobre a poligamia masculina, acreditando que todo homem trai;
- Desavenças familiares vivenciadas na infância;
- Mimo que exagera tudo.

O mimo faz entrar no papel de "pobre de mim", exigindo sempre que seu parceiro "prove" que a ama. Mesmo que ele tenha paciência para isso, você nunca se sente satisfeita.

Esse comportamento acaba com qualquer relacionamento. É exaustivo, deprime e destrói o respeito. Para que duas pessoas convivam em harmonia é preciso que haja respeito. Ele é mais importante que o amor.

Quem diz que ama e não respeita o ser amado, dando espaço a que ele se expresse e cresça, provoca dois resultados: separação ou fingimento.

Quem se sente pressionado usa a mentira para tentar evitar brigas. Uma situação falsa nunca dá bons resultados.

É humilhante ter que dar explicações a todo instante, dizer aonde vai, viver sob a mira do relógio.

É muito agradável sair sem destino, sentir-se livre para poder fazer o que quiser, mesmo que não faça nada. Nada substitui o prazer da liberdade. Tolher esse espaço do companheiro sufoca e um dia ele acaba deixando você.

Além disso, o ciúme é uma porta aberta para a obsessão de espíritos perturbadores que se aproveitam de sua fraqueza, projetando em sua mente cenas de traição que você "vê". Também, quando você dorme, eles levam seu espírito e lhe mostram os "clichês astrais" que eles criaram, onde seu parceiro está com outra.

Eles agem assim para dominá-la e sugar suas energias para manter-se ligados ao mundo material do qual não querem se afastar. Se você lhes der crédito e os alimentar, acabará atraindo em sua vida exatamente o que teme. As cenas que vê se materializarão em sua vida!

Tente mudar. Procure um bom psicólogo, com o qual se identifique [se não gostar de um procure outro até acertar].

Vá a um centro espírita, peça ajuda espiritual, faça tratamento para eliminar as formas-pensamento que criou e que estão presentes atuando em sua mente, com energias perturbadoras. Reaja. Faça sua parte.

Ao sentir ciúme, não tente controlá-lo. Reconheça que é ciumenta e que seu ciúme é que provoca os pensamentos de traição. Eles não são verdadeiros! Você não tem fatos, só suposições. Saia da ilusão!

A verdade é que ele está com você porque a ama. Repita isso sempre. Acredite nele. Respeite-se, acredite-se capaz de ser amada! Respeite seu parceiro dando-lhe espaço para fazer o que gosta e progredir.

Quanto mais o deixar livre, mais ele se chegará a você. Experimente e verá!

Todos nós desejamos brilhar, ser amados. Em vez de apagar a sua luz por causa do ciúme, brilhe!

40
RAZÃO E SENSIBILIDADE

Quando minha sensibilidade abriu-se, eu não podia imaginar as mudanças que aconteceriam em minha vida. Eu era uma jovem alegre, recém-casada, dois filhos pequenos, muito apaixonada pelo marido, cujo projeto de vida era cuidar da minha família. Os fenômenos se sucediam em nossa casa e decidimos estudar o Espiritismo.

No início, eu e meu marido questionamos muito, gostamos da filosofia que respondeu a alguns deles, mas o que realmente sacudiu nossos espíritos foram as provas que nos foram dadas através de vários fatos.

Elas surgiam espontâneas, inesperadas, que tocavam nossas almas e nos inspiravam pensamentos elevados, trazendo a certeza da eternidade do espírito.

Com a mediunidade houve momentos em que sofri os assédios da minha invigilância, absorvendo energias negativas durante algum tempo, não só das pessoas em volta, como dos desencarnados que se demoram na crosta da Terra, que ao dividir conosco seus males sentem-se aliviados.

Desde que aprendi que nem todos os pensamentos que passam pela nossa mente são nossos, e que os absorvemos pela afinidade, tenho me esforçado para manter o otimismo, ficar no bem e posso dizer que se ainda não estou imune a eles, tenho melhorado muito.

A evolução está no fim de um ciclo e as mudanças estão rapidamente acontecendo. Basta olhar em volta para perceber isso. Por esse motivo é preciso ficar muito firme no controle do nosso mundo mental e além disso, desenvolver a fé na Providência Divina, que tudo faz a favor do nosso progresso.

Se a mediunidade nos obriga a manter bons pensamentos e fazer nosso melhor para manter o equilíbrio, ao mesmo tempo, espíritos mais evoluídos se aproximam nos inspirando, abrindo as portas do conhecimento, fazendo pensar, elevando nossos conceitos sobre a vida, sua finalidade, suas leis eternas, que nos compete aprender e praticar a fim de desenvolvermos a consciência.

Quanto mais conscientes daquilo que é, mais capazes seremos de interagir com o que nos rodeia, seja na Terra ou em outras dimensões do universo.

A reencarnação é a porta do nosso progresso. Vestindo um corpo formado pela matéria mais densa do planeta Terra, esquecemos temporariamente o passado.

As lembranças de outras vidas que vivemos, permanecem arquivadas em nosso inconsciente e certos fatos mais marcantes interagem na vida atual. Mas esse esquecimento é que nos faz agir, não como pensamos ser, mas como somos de fato.

No mundo astral, nos preparamos para essa vivência, estudamos, aprendemos, fazemos projetos de vencer nossos pontos fracos.

Uma vez aqui, inconscientemente revelamos nosso nível de conhecimento. É um teste duro, uma vez que durante a vida todos os desafios que postergamos, reaparecem e vamos ter de enfrentá-los.

Contudo, não estamos sós. Espíritos amigos estão nos inspirando bons pensamentos, mas é bom lembrar que as lembranças ruins dos nossos fracassos, ainda no inconsciente, nos amedrontam e é preciso ser forte e acreditar no próprio poder. Porque a vida é amorosa e só nos testa quando já temos condições de vencer.

Muitos dos espíritos que nos inspiram ainda terão de reencarnar neste planeta. Eles nos ensinam as leis eternas que regem a vida porque quem as conhece, entende o programa divino e passa a cooperar na construção de um mundo melhor.

A morte é apenas um revezamento, nós iremos embora, mas outros virão e a cada experiência na Terra todos vamos desenvolvendo a consciência, amadurecendo e conquistando mais sabedoria e felicidade.

A sensibilidade faz com que você comece a sentir as coisas à sua volta, como energias, emoções e pensamentos que não são seus.

41
TEMPO DE MUDANÇAS

Tempo de mudanças! A vida segue seu rumo, empurrando-nos para frente, ainda quando preferimos nos manter afastados dos acontecimentos à nossa volta, nos sentindo confortáveis acomodados na mesmice.

E, quanto mais insistimos nessa postura, mais os desafios aparecem chamando nossa atenção, para a importância do momento que vivemos.

É no presente que podemos construir nosso futuro. São nossas escolhas de hoje que programam a realização dos nossos sonhos de felicidade e de progresso.

Viver, ficar atento ao nosso sentir, procurando observar os sinais da vida à nossa volta, que vão abrindo caminhos que exigirão sempre mais sintonia, mais interesse, mais esforço em fazer o melhor, como a nos dizer que o desenvolvimento da consciência, a aquisição da sabedoria é a fortuna que precisamos construir em nossa trajetória espiritual através da evolução.

A vida prossegue ativa, acelerando a ciência, abrindo novos caminhos, sempre com a finalidade de trazer mais bem-estar a todos nós, dizendo nas entrelinhas, que vai chegar o momento em que o sofrimento e a dor irão desaparecendo à medida em que conquistamos o conhecimento, aprendendo que somos participantes ativos das energias do universo, onde colaboramos o tempo todo, uma vez que com nossas atitudes, expressamos energeticamente o teor dos nossos pensamentos, que trocamos naturalmente com as pessoas que se sintonizam conosco.

Não dá mais para ficar parado. É preciso acordar para essa realidade e inteirar-se de que só existe o bem de todos, porque estamos ligados, participando do projeto divino que dispôs como necessidade que aprendêssemos os princípios fundamentais e perfeitos que regem a vida, a fim de que nosso entendimento se aclare e possamos enxergar toda a grandeza do momento e possamos colaborar efetivamente com a obra divina.

Embora não existam duas pessoas iguais e cada uma tem significativa contribuição nesse contexto, será mais funcional, cada pessoa procurar conhecer mais seu mundo íntimo, porque eu sinto que os espíritos de luz estão intensificando seus esforços em auxiliar aqueles que de fato tiverem interesse em aprender um pouco mais, desenvolver seus potenciais, conhecer como a vida age atuando de maneira profunda em nossas almas, através de pequenas coisas, mas que no particular de cada um, se transformarão em força de ânimo, de progresso e de prazer.

Não há nada mais prazeroso do que perceber que um gesto, uma atitude sua, levou a alguém um pouco de luz, de amor, de amizade. É um sentimento precioso, faz com que você se sinta melhor e perceba a própria generosidade.

É muito bom deixarmos as falsas crenças de que nós somos seres inferiores, culpados das maldades do mundo, banidos do paraíso.

Nós somos espíritos eternos, criados simples e ignorantes, mas à semelhança de Deus. Somos deuses! Sair da ignorância e poder construir o próprio destino através das nossas escolhas, colhendo o que plantamos, errando para aprender traz dignidade.

Estamos construindo nosso paraíso! Estamos nos tornando melhores a cada dia e aprendendo que só o bem é real.

Vamos aproveitar esse momento tão importante e nos unirmos a favor do bem maior. Sem julgamento nem punição a ninguém, mas com amor, entendimento, sendo verdadeiros nas atitudes, valorizando nossa participação tornando o mundo melhor, as pessoas mais felizes!

Cultive o otimismo, o momento é de trabalho, participação e união em benefício de todos.

A mudança é necessária. A vida nos empurra para frente, não tem como ficar parado no tempo.

42
A UNIÃO FAZ A FORÇA

Estamos vivendo um tempo de mudança em que as pessoas estão acordando para assumir o controle da própria vida e não aceitam mais a tutela dos poderosos que açambarcaram os postos diretivos, gerenciam em proveito próprio os bens que deveriam ser produto das conquistas de cada um, e vão controlando a sociedade sem importar-se com a ignorância que se traduz na falta de tudo, inclusive até no direito de viver melhor.

A inquietação, o clamor das ruas, embora ainda de maneira caótica, o inconformismo aos abusos, a falta de recursos às mínimas necessidades de sobrevivência, estão se fazendo sentir inclusive nas ondas da violência, muitas vezes inexplicáveis, no descontrole de alguns que pressionados pelas circunstâncias, não veem saída para seus problemas, criaram energias que estão sacudindo e transformando a atmosfera da Terra, acelerando o tempo.

Estamos no meio dessa tempestade e nós, que somos espiritualistas, sabemos que somos eternos, confiamos no poder divino que gerencia amorosamente a abertura da nossa consciência. A fim de conquistarmos a sabedoria, a felicidade, precisamos estar atentos e não entrarmos nessa onda de revolta que fatalmente nos conduzirá ao desequilíbrio, à negação de tudo que acreditamos.

A fé é a divina claridade da certeza, já disse Emmanuel, um espírito iluminado, através do médium Chico Xavier.

Quem tem certeza da eternidade, é forte bastante para manter a serenidade; mesmo respirando essas energias tumultuadas, consegue elevar o espírito e ficar no bem.

A união faz a força. Juntos podemos formar uma onda positiva que além de aliviar o sofrimento dos que estão atormentados, abrirá espaço na atmosfera a que os espíritos iluminados possam derramar energias de luz que além de suavizar o descontrole de muitos, darão provas de que para tudo há uma solução que aparece quando você confia e acredita que pode.

Fixar o pensamento no mal mesmo que seja na intenção de preveni-lo, é uma ilusão que alimenta o descontrole e atrai exatamente o que você teme.

Ficar repetindo frases positivas pode parecer bom, mas para que funcione, é preciso algo mais. Você precisa sentir no seu coração o amor incondicional, alimentá-lo e usá-lo a seu favor, colocando-o em sua vida em primeiro lugar, depois em todas as coisas à sua volta. Só assim suas energias estarão prontas para serem derramadas a favor da melhoria de todos.

Você sentirá que a inquietação e os medos irão embora e a vida se tornará mais prazerosa e rica. Todas as coisas terão um brilho especial e seja qual for o desafio que surja, conseguirá enfrentá-lo com firmeza e vencê-lo.

Olhar em volta e sentir a grandeza da vida, que nas mínimas coisas mostra a perfeição da natureza, e o equilíbrio das forças que mantém o universo, nos faz bem.

A perfeição e a inteligência do corpo de carne, que nos serve de aparelho para interagirmos neste planeta durante anos, demonstra a perfeição da vida, faz com que permaneçamos ligados ao bem maior, nos alimenta e permite que, unidos a essa força maior à qual devemos tudo que somos, possamos contribuir de forma adequada para o progresso da toda humanidade.

A alegria de ser útil, de colaborar com a vida que nos deu tudo, a certeza de que o nosso destino é a felicidade, enche nosso coração de amor para com todas as coisas e faz com que nos sintamos deuses em forma de gente, capazes de transformar não apenas nossa vida, mas também o próprio universo.

Eleve seu pensamento, sinta seu potencial de amor e se una a nós nessa viagem de luz.

Toda união é proveitosa quando favorece o progresso.

43

PREFIRA ESCOLHER O BEM

Hoje acordei, abri a janela e o sol já estava aparecendo, pensei alegre: Um novo dia é uma página em branco. O que fazer para criar um futuro melhor? É no momento presente que posso programar o futuro.

Você já pensou nisso? Está em suas mãos escolher o bem, optar por melhorar seus conhecimentos, aprender coisas novas, descobrir capacidades, experimentar situações, cujas vivências o farão conquistar mais discernimento, segurança nas decisões e ousadia para enfrentar os desafios do dia a dia.

É que na conquista do nosso progresso há inúmeras variáveis que interferem, invalidam nossos esforços e nos fazem crer que tudo seja difícil, que é preciso muita sorte para conquistar o que desejamos.

Isso não é verdade. Nós estamos neste mundo para aprender, evoluir e o universo trabalha a nosso favor. Somos nós que ainda nos deixamos levar pelas incertezas, fruto de experiências negativas que tivemos no passado, inclusive em outras vidas, que embora esquecidas temporariamente, continuam em nosso inconsciente, influenciando nossas escolhas, impedindo-nos de seguir adiante.

Algumas foram tão fortes e repetidas que se automatizaram. Basta surgir alguma situação parecida com o passado para que você reaja, se perturbe e entre na depressão.

Nesse caso, você pode sentir um aperto no peito, como um pressentimento ruim, mas nada de mal aconteceu nem vai acontecer, você está apenas rememorando vivências passadas.

Nessa hora é preciso não dar importância, mudar o foco, buscando um pensamento positivo. O passado acabou e não vai voltar mais. Hoje você é livre para se renovar e escolher novos caminhos. Acredite que pode!

Além do passado, a constante troca de energias com as pessoas desequilibradas que nos circundam, as impressões desagradáveis com as tragédias do mundo e as doenças graves nos impressionam o bastante para que o medo nos paralise, impedindo-nos de notar que apesar disso, há muitas pessoas que estão serenas, levando a vida com alegria, desfrutando de progresso e bem-estar.

Todos estamos vivendo aqui nas mesmas condições. O que faz a diferença?

As escolhas de cada um. Assumir o comando de sua vida, acreditando que merece viver melhor, faz com que se esforce para manter o equilíbrio de seus pensamentos, evitando entrar na maldade do mundo, preferindo mudar o foco, já que é pela lei da afinidade que você atrai as energias à sua volta.

Aceitar o que não pode mudar e entregar a situação nas mãos de Deus, é revelar sabedoria e libertar-se de muitos problemas. À nossa volta há muito sofrimento e as tragédias, os crimes, a violência, continuam acontecendo e não temos como impedir.

Mesmo quando se trata de uma pessoa querida, que está equivocada, mantendo atitudes destrutivas, não temos o poder de entrar nos sentimentos dela e influenciá-la, fazendo-a mudar.

Ficar na depressão, só pensando nos erros que ela está cometendo, além de não ajudar, fará com que ela fique pior, pois nossas energias estarão alimentando mais seu desequilíbrio.

Só quando ela se cansar de sofrer e decidir mudar é que vai sair do problema. Acreditar que esse dia chegará, conservar a serenidade e apoiá-la quando faz algo bom, envolvendo-a com pensamentos positivos, é o que você pode fazer para auxiliar de verdade.

Todo bem faz bem, todo mal faz mal, é você quem escolhe onde quer ficar. Escolha o equilíbrio, liberte-se, busque algo melhor e sinta o prazer de descobrir a grandeza da vida, o poder que é só seu de criar o próprio destino.

Faça da alegria sua força e cante o amor por onde for.

Nós temos o poder da escolha. Escolha ficar livre. Não se incomode com o que os outros pensam.

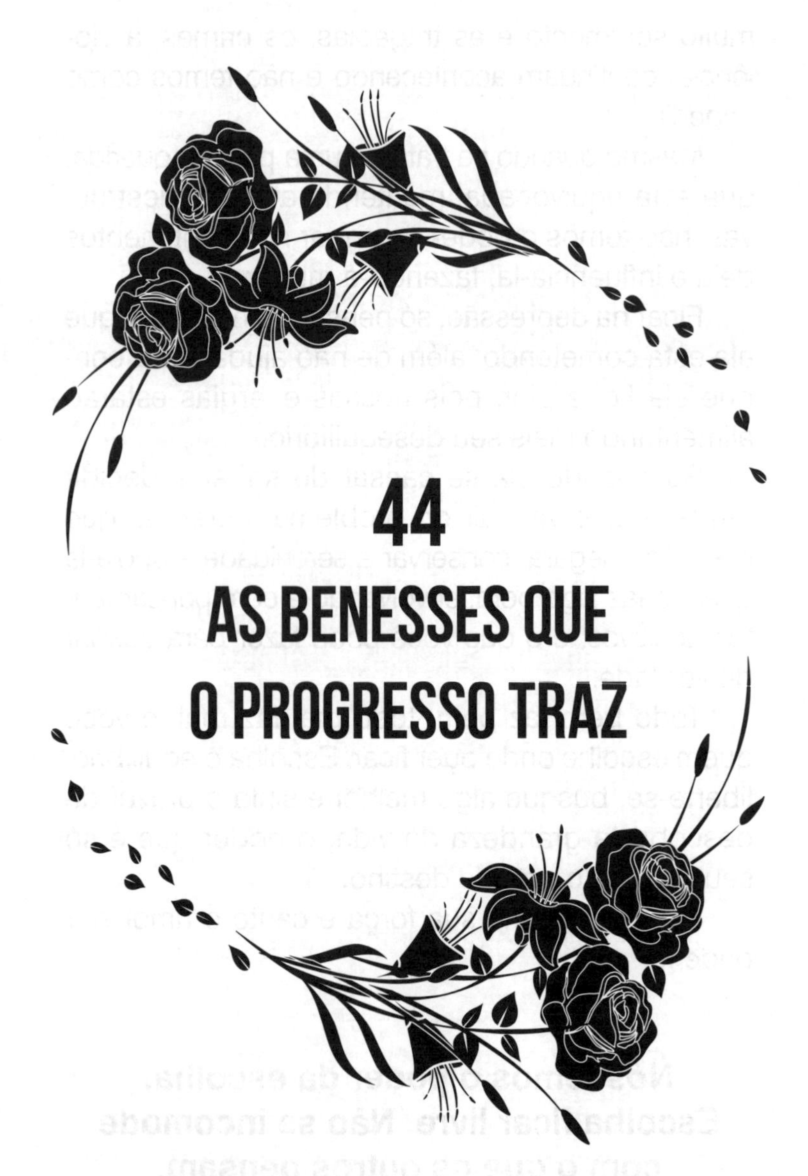

44
AS BENESSES QUE O PROGRESSO TRAZ

Quando eu era criança, cozinhar um frango tinha todo um ritual: minha mãe comprava o frango vivo, depois que meu pai o matava, [mamãe não tinha coragem para fazê-lo], ficava pendurado de cabeça para baixo certo tempo, a fim de que o sangue ficasse todo no pescoço e a carne fosse mais branca.

Assim, ele era colocado dentro de uma bacia e coberto de água fervendo, para tirar as penas, já as penugens eram queimadas na chama do fogo. Só então era cortado e preparado.

Lembrei-me dessa cena comum na minha infância e comparei-a com as facilidades que temos hoje nos supermercados.

O progresso trouxe praticidade em muitos aspectos, a ciência acabou com certas crenças, mostrando a verdade das coisas, melhorou a qualidade de vida, abriu as portas do conhecimento a ponto de chegarmos aos sofisticados estudos que nos levaram à conquista da lua.

Cientistas colocaram na órbita da Terra satélites espaciais e sentados no sofá da sala podemos viajar para onde quisermos, conversar frente a frente com pessoas de qualquer lugar do mundo, inclusive em um minúsculo telefone celular.

Tudo isso aconteceu durante os noventa anos em que eu estou aqui. Não é espetacular?

O progresso tem o dom de multiplicar o conhecimento e aproveitar melhor o tempo. Tudo está andando mais rápido. Só o homem ainda continua parado no tempo, descrente, crítico, violento, querendo ter sem merecer, parece que não evoluiu nada. Basta olhar em volta para perceber que a ignorância continua infelicitando a muitos.

Em vez de aproveitar as coisas boas da vida, por que grande parte das pessoas resiste ao bem e prefere permanecer no sofrimento?

Seria natural preferir o bem porque ele traz bem-estar. Por que isso não ocorre?

Um amigo espiritual com que conversei, informou-me que várias são as causas dessa dificuldade que os encarnados têm para enxergar a verdade das coisas.

Ele lembra que não existem duas pessoas iguais. A diversidade é que equilibra as forças da vida e impulsiona à evolução. Uns aprendem com os outros. As escolhas de cada um criam vivências que formam cada personalidade, que vai amadurecendo, tornando-se mais consciente da realidade.

Diz ainda que quanto maior for o senso de realidade mais evoluído é o espírito. A lucidez é patrimônio dos espíritos evoluídos. Eles têm clareza nas ideias, serenidade nas atitudes, inabalável confiança na vida. Quando se aproximam de nós, sentimos leveza, alegria, prazer e bem-estar.

É isso que todos desejamos obter. Mas teremos de fazer a nossa parte, nos ligarmos ao nosso espírito porque é nele que Deus está. " Eu e o Pai somos um" Lembra-se?

Quando nos ligamos com nosso mundo interior, podemos sentir a presença de Deus. Todos os sensos estão guardados lá. O senso de realidade, do bem, do amor, da fé, da imunidade, da alegria, do entusiasmo e da união.

É uma riqueza que nos pertence por direito divino e está o tempo todo à nossa disposição. Basta ir para um lugar sossegado, fechar os olhos para sair do mundo físico, mergulhar no seu sentir e falar com Deus. Faça a experiência porque você vai encontrar todas as respostas. E, quando ela não vem na hora, confie, espere e observe porque ela vai responder através de sinais.

Pense em tudo isso e não perca essa oportunidade. O tempo passa depressa e amanhã poderá ser tarde demais. Ser banido da Terra e reencarnar em mundos mais atrasados será muito mais trabalhoso. Esse tempo do expurgo já teve início e nós não sabemos quando acabará.

Você não acha que é melhor se apressar? Eu já estou tentando, quero ver se consigo.

A vida funciona de maneira prática. Ela faz com que você experimente o que acredita e descubra a verdade da vida.

45

FIM DE CICLO

Embora a vida continue fluindo ininterrupta, o final de mais um ano é um ciclo que termina e coloca diante de nós uma página em branco para escrevermos nosso futuro.

Como foi este ano para você? Se o resultado foi positivo você está motivado, confiante e até mais ousado em planejar o que fará no próximo ano. Se foi um ano difícil, cheio de desafios, onde foi forçado a tomar decisões complicadas, nem sempre bem-sucedidas, você sente-se fragilizado, estressado. Está na hora de relaxar.

Pense que é o momento de respirar, deixar de lado os pensamentos desagradáveis que o incomodam e tentar analisar o próprio desempenho para descobrir a verdadeira causa dos problemas que atraiu.

Pare de culpar os outros e só enxergar o que parece. A causa do mal que o incomodou está dentro de você e só quando conseguir identificá-la poderá saber como vencê-la.

Para começar, não dê importância aos pensamentos de culpa, de fracasso, de impotência e incapacidade que fluem sem parar. Eles são provocados por crenças erradas nas quais acredita.

Você vai dizer que estou enganada, que os fatos têm demonstrado que você não é bom o suficiente uma vez que não tem obtido êxito em seus projetos.

Eu afirmo que isso não é verdade. Quando alguma coisa não sai como deseja, você se critica e julga-se errado.

Não é errado errar. O erro faz parte da aprendizagem, ensina mais do que o acerto porque fixa a experiência e demonstra que há outra forma melhor de agir. Ninguém consegue progredir, aprender sem errar.

Criticar-se é usar o próprio poder para vitimar-se. É olhar só para seu lado mais fraco, é ignorar todo progresso que já conquistou. Essa escolha pode estar atraindo as dificuldades que tem enfrentado.

Você é um espírito eterno em busca da evolução. Já viveu outras encarnações na Terra onde aprendeu muitas coisas, desenvolveu qualidades, aumentou seu senso de realidade, que quanto mais objetivo for, menos sofrimento provocará em sua vida. Cultivar uma falsa crença inverte os fatos, cria ilusões, visões distorcidas, induzem ao erro.

Você já questionou suas crenças procurando sentir o que elas têm de verdade?

Seus sentimentos expressam o que você realmente é. Ao fazer isso, vai aparecer aquela voz contraditória, negativa; ignore-a. Insista em analisar só o que sente.

Então descobrirá outros lados seus, sua vontade de acertar, de ser uma pessoa inteligente, bondosa, participativa. O desejo de aprender a fazer melhor, de sobressair, ser valorizado, respeitado, amado. Notará quantas coisas você sabe fazer de forma adequada e com capricho. Sentirá sua imensa capacidade de amar que deseja expressar-se em todas as suas atitudes, de todas as formas.

Também não vai ignorar seus pontos fracos, mas não se culpe. Lembre-se de que ainda tem de aprender muitas coisas. Comece encarando-os e, com paciência ir tentando vencê-los.

Esse é você. Ao agir de forma verdadeira, você estará se valorizando e logo notará que as coisas começarão a mudar e as pessoas, a tratá-lo melhor. Várias portas se abrirão em sua vida profissional e as relações familiares serão mais amistosas.

Não tenha receio de posicionar-se de acordo com seus sentimentos. Há a hora de dizer sim e a hora de dizer não. Faça isso com naturalidade e será surpreendido com a reação positiva das pessoas. É que suas energias estarão mais equilibradas e favorecerão o entendimento.

A realidade é melhor do que a ilusão. Você precisa acreditar que é capaz, que dentro de você tem a sabedoria da inteligência divina a inspirá-lo e descubra que você é muito melhor do que pensa. Feliz ano-novo!

A realidade que criamos e a verdade das coisas são muito diferentes. Precisamos ver as coisas como realmente são.

46

O DOMÍNIO DE SI MESMO

Se você deseja preservar seu equilíbrio, fazer com que seus projetos se realizem e os relacionamentos sejam melhores, é hora de abrir a consciência, melhorar sua visão das coisas, aprender a lidar com as energias que estão em volta.

O primeiro passo é o autoconhecimento, investigar seu mundo íntimo, ir fundo nos seus sonhos de felicidade, ignorando, pelo menos naquele momento, a reação negativa dos pensamentos habituais de incapacidade que surgem como se você fosse menos e incapaz de realizar todo o bem que deseja e quer.

Essa é uma ilusão que deprime, impede o progresso, reduz sua força, paralisa. Não é isso que você quer e nem é esse o objetivo de sua vida neste mundo.

O desejo de domínio é forte na busca do nosso lugar na sociedade. Basta observar que até em uma conversa banal, queremos impor nossa opinião sem sequer analisar os argumentos dos outros.

Esse desejo de vencer é nossa força e tem o poder de nos levar para frente quando o utilizamos não para dominar os outros, mas para dominar os nossos medos e as nossas fraquezas.

A inversão dessa força é comum e também é a causa das guerras, dos desentendimentos até entre as pessoas da mesma família, que tanta infelicidade ocasiona e impede que a sociedade seja melhor e os povos tenham mais progresso.

É hora de darmos um basta ao mal, de descobrirmos o imenso potencial que temos, reconhecer nossas capacidades, fazer experiências, testar até onde poderemos ir na busca de nosso melhor.

Só a vivência pode dar a certeza de como as coisas são. Juntar mais conhecimento, buscar assuntos do nosso interesse, estudar, observar, sem barreiras jogando fora as ideias estabelecidas; questionando sua verdade, ajudará a manter o equilíbrio de suas forças e facilitará o progresso.

Isso levará a realização dos seus sonhos desde que mantenha a firmeza de permanecer aberto a novas ideias, ainda que possam parecer-lhe fantasiosas. Tudo que é muito diferente do que conceituamos como "certo" consideramos "errado".

Se você deseja progredir, conhecer a verdade terá que sair desse conceito que é contrário à evolução, limita e distorce a realidade uma vez que a vida é ampla e as coisas têm vários lados dependendo do ângulo que você vê.

É preciso testar suas crenças, saber se são verdadeiras. Uma falsa crença inutilizará todo seu esforço, pois promove a repetição indesejada dos fracassos experimentados.

Essa abertura amplia sua visão e fará com que você consiga observar com mais clareza como a vida funciona. Essa é a chave do seu sucesso e crescimento na realização dos seus objetivos de felicidade.

À medida que você sente como as coisas são, percebe o próprio poder, usa com objetividade seus conhecimentos e sua força, cria as circunstâncias para a materialização dos seus projetos, o universo colabora, reforça e tudo se realiza. Todas as forças cósmicas funcionam visando ao desenvolvimento e ao progresso da humanidade.

É a inversão dos valores sagrados da vida que continua alimentando o mal. O prazo dado já está se esgotando. "Os mansos herdarão a Terra" e o expurgo dos resistentes já começou.

Muitos deles já sentiram que serão expulsos daqui e, inconformados, promovem a violência e a maldade, criando sofrimento e dor. É apenas questão de tempo e logo a sociedade será melhor.

Mas você que está no bem, já sabe de tudo isso, certamente saberá passar por esse tempo de turbulência ficando na paz, promovendo o bem, abrindo sua alma para fazer o melhor.

Não entre no mal do mundo e preserve o seu bem interior.

47
FALAR MENOS E ESCUTAR MAIS

O momento atual é de falar menos, observar mais, abrir a consciência para perceber as mudanças sociais que estão acontecendo e não se deixar envolver pelas energias desencontradas do medo e da insegurança que estão em volta.

Conservar a serenidade mesmo quando os tumultos sacodem aqueles que demoram a entender a necessidade de assumir o comando da própria vida e esperam que os outros façam a parte que lhes compete na conquista do próprio progresso, percebendo que nós não temos o poder de mudar quem quer que seja, revela entendimento e sabedoria.

A boa intenção não é suficiente para fazer com que a ajuda que possamos oferecer seja eficiente. É preciso muito mais. A pessoa pediu? Se o fez, você acredita que dessa vez está disposta a mudar e se esforça para cuidar melhor de si?

Quando lidamos com as pessoas que amamos, quase sempre nos precipitamos, queremos mudar os acontecimentos; sem que elas tenham pedido, assumimos posições inadequadas que além de não ajudar, ainda vão nos levar às frustrações.

Embora você acredite que esteja agindo por amor, a verdade é que no fundo está querendo acabar com o assunto que o está incomodando. O que você realmente quer é ficar bem. Não é isso?

Claro que ficamos bem com a felicidade de quem amamos. Mas a vida nos empurra para frente por meio dos constantes desafios do dia a dia e são eles que, quando enfrentados, nos ensinam como as coisas são e nos levam ao amadurecimento.

Estamos neste mundo para desenvolver a consciência e aprendermos as leis divinas que regem a vida. Elas são funcionais, isto é, mostram como é preciso agir para progredir, conquistar uma vida melhor. As leis são imutáveis e perfeitas e agem através da meritocracia.

Ninguém consegue ser feliz sem merecer. O que nos leva a refletir que a melhor ajuda é respeitar o outro e nunca querer fazer por ele a parte que lhe compete.

Diante dos problemas e do sofrimento que observamos à nossa volta, sem que possamos fazer nada, nos entregamos à depressão, acreditando que a vida seja cruel e impiedosa.

Eu que sou alegre, de bem com a vida, acredito no bem, dias atrás, diante de algo que vi na TV, fui acometida de uma onda de tristeza e comecei a imaginar como aquelas pessoas estariam se sentindo.

Apesar de ter feito minhas orações ao deitar, acordei de madrugada sentindo dores musculares nas costas e no pescoço. Pensei em tomar um comprimido, mas preferi me ligar com meu guia espiritual e perguntar o porquê daquelas dores. A resposta foi clara:

— Você quis tomar o lugar de Deus, entrou na ilusão. É Ele quem tem o poder sobre todas as coisas e tudo está como deve ser. Não existe vítima. Você só tem poder de dirigir a própria vida e só quando você está bem, consegue mandar energias de luz aos que estão sofrendo.

Percebi meu engano e senti o quanto deveria ficar atenta no meu canto sem querer ser mais do que sou. Reconheço que tenho poder absoluto para comandar minha vida e assumo com alegria meu lugar.

Conservar a paz no coração aconteça o que acontecer, é uma conquista da fé, de quem sabe que a vida tem o comando maior, que tudo sabe, vê e faz o melhor.

Saia da dúvida que o paralisa, ouse buscar as provas da grandeza da vida. Essa certeza lhe trará discernimento, paz e alegria de viver. Vale a pena porquanto no momento atual de mudança e renovação é melhor andar pra frente ainda que tateando entre a luz e a sombra, do que deixar-se conduzir pela onda de maldades que acabam na dor.

Fique no bem e na paz. As coisas só funcionam quando estamos em paz e confiamos nas forças positivas do universo.

48
VIVER COM BOM SENSO

Tudo ficou mais rápido e a cada dia nos defrontamos com novas descobertas que modificam a visão de mundo, abrindo um vasto campo de possibilidades que desafiam nossa capacidade e ao mesmo tempo nos empurram para o progresso.

A segurança está na mudança porque o novo faz pensar, sacode as ideias, abre conceitos diferentes, revela outros lados que podem nos tornar mais experientes.

A vida nos estimula a ser mais flexível enquanto para nós é muito confortável nos mantermos conservadores. Ser conservador é andar por um caminho conhecido, já experimentado. Mantermos ideias que acreditamos e nos parecem seguras. Contudo, diante das novas descobertas da ciência, algumas delas se tornaram ultrapassadas.

Quando eu era criança, ninguém podia tomar banho depois de comer, ou então misturar manga com leite e outras tantas coisas que hoje tornaram-se piadas.

O bom senso nos diz que mesmo inseguros, é melhor aceitar o novo e tentar adaptar-se. A vida é uma aventura e a cada dia temos uma página em branco para aprender o que precisamos.

Afinal, para que serve o passado? Já acabou e não volta mais. As coisas ruins deixaram lembranças desagradáveis, as boas nos deixam saudosos. Dependendo do jeito que você olha, essas recordações podem ser um peso.

O futuro é consequência do que você escolhe no presente e é preciso estar atento para plantar o melhor, se deseja ficar bem. Por esse motivo, tenho tentado disciplinar meus impulsos e ir mais fundo na observação dos fatos.

Com a finalidade de encontrar o lado mais conveniente, procuro ao mesmo tempo perceber minha visão, analisando até que ponto exagero em meus conceitos, ou me acomodo na mesmice.

As duas posições são ilusórias e levam à frustração. Não é isso que quero para mim.

A maneira que eu me vejo e enxergo a vida, determina minhas escolhas. Como saber até que ponto tenho um senso de realidade, para considerar as coisas da maneira mais adequada?

Como não achei a resposta, decidi não me preocupar mais com tudo isso. Fiz uma meditação espiritual me ligando com meu mundo interior. É lá que nossa alma responde às nossas indagações e com tal segurança que nos acalma e esclarece. Ouvi apenas essa pergunta:

— Por que você não usa o poder que tem para ser feliz? É só isso que você quer.

Senti um calor agradável no peito e ao mesmo tempo tudo ficou claro. Eu tenho o poder e posso escolher a felicidade. Por que perder tempo com algo que me deixa mal em vez de, com naturalidade, usar o presente para imaginar tudo de bom que desejo e posso ter?

O poder está em minhas mãos. Eu sou dona do meu futuro. Eu sei que meu espírito é eterno, que o universo trabalha a meu favor. Além disso, a força que me protegeu sempre até chegar aqui, continua me protegendo para sempre. Foi ela quem garantiu meu bem-estar nos momentos de inconsciência durante o sono, ou no processo de reencarnação.

Respirei aliviada! Eu apenas preciso manter minha fé e meu pensamento positivo, e escolher tudo que me torna uma pessoa melhor para ser feliz. Sem mágoas nem julgamentos, na firmeza do meu espírito, na luz do amor Divino. Que bom poder ser eu, simples, alegre, de bem com a vida!

Bom é não complicar, é aliviar a cabeça e o coração, sendo o que você é, com disposição, alegria, cuidando de sua vida com amor.

Diante dos fatos diga apenas: Tudo que é ruim não é meu. Para mim, apenas o que é bom! E tudo mudará para melhor!

Fique no bem e não absorva nada de ruim. Esse deve ser o seu primeiro pensamento do dia.

49

VIRANDO A PÁGINA

Ao iniciar um novo ano é hora de virar a página, reavaliar conquistas e fracassos. Se as vitórias fortalecem, os fracassos mostram quais escolhas não deram certo e o que é preciso mudar.

Os erros são naturais na aprendizagem. Ensinam mais do que os acertos. Mas é bom lembrar-se de que os fatos respondem ao que você crê e a maneira como vê a vida.

Quanto maior for o seu senso de realidade, seu otimismo, sua confiança na vida, mais condições terá de realizar seus projetos de progresso, conquistar equilíbrio emocional e bem-estar. Enxergar as coisas como elas realmente são disciplina com acerto as escolhas, seja no relacionamento com as pessoas da própria família, no trabalho ou na vida afetiva.

Observar as atitudes dos outros para saber a melhor forma de relacionar-se, é prático, evita criar expectativas infundadas e desgastantes frustrações.

Mas é preciso não entrar no julgamento para não se confundir, mascarar a realidade. Nós não temos o poder de entrar no íntimo de alguém e dar-lhe uma nota de comportamento.

O planeta Terra é uma casa preparada para receber os espíritos em determinada faixa de evolução. Nós estamos aqui para realizar experiências e entender como a vida funciona.

É uma excepcional oportunidade de aprender a lidar com os elementos da Natureza, da qual somos parte, com a diversidade dos seres, com as energias que emitimos e recebemos, com a vida profissional, familiar e afetiva.

Teremos, por meio dos nossos relacionamentos, a chance de entender o relativismo das perdas, de equilibrar o emocional e o ego.

A oportunidade de desenvolver a simplicidade, a generosidade, a sinceridade, o perdão, o conhecimento, a fé no bem, a alegria, o amor incondicional e a disciplina. Fatores necessários a fim de conquistar a confiança em si e na vida.

Para progredir é preciso assumir o próprio poder, disciplinar a mente, fazer com que a luz divina da sua alma eleve o padrão dos pensamentos, priorize o bem, a generosidade, para assim fluir com a vida, trocando os benefícios com a coletividade.

Para sentir o prazer dessa integração, é indispensável manter o equilíbrio em todas as áreas. O corpo físico é um aparelho sofisticado, inteligente, disciplinado. Responde às necessidades físicas e emocionais do ser, mas age conforme o controle e as crenças do seu habitante.

Vivendo na Terra, o espírito fica entre dois mundos. Liberta-se do passado enquanto ficar aqui. Com as vivências no dia a dia, você vai tomando consciência de si mesmo e aumentando seu senso de realidade.

A busca da espiritualidade é a base de ajuda dentro desse processo. A dúvida sobre a continuidade da vida limita o ser que fica prisioneiro das aparências do mundo, esquecido de sua origem.

Ninguém progride e conquista a paz sem a força da fé. Pense nisso. Reaja!

Não se deixe envolver pela descrença. Questione suas dúvidas, teste os fenômenos da mediunidade, leia as pesquisas dos cientistas sobre o assunto. Desafie as forças da vida a lhe mostrar a verdade. Vai valer a pena.

A certeza da eternidade do espírito, amplia a visão do futuro, mostra a perfeição da vida, abre a consciência daquilo que é. Dá serenidade, confiança, coragem para enfrentar os desafios e manter o equilíbrio, aconteça o que acontecer.

Você é um espírito eterno! Essa certeza valoriza a existência, lhe concede a dignidade de agir e gerir o próprio destino.

O poder está em suas mãos. Assuma. Permita que sua alma expresse sua luz, guie sua intuição, inspire projetos, que lhe trarão bem-estar, alegria, prazer.

A gratidão é um sentimento de amor que eleva o espírito e nos une a Deus. É o reconhecimento do imenso amor com que Ele nos cerca e a certeza de que tudo é possível quando sob a sua proteção, esforçamo-nos para fazer a parte que nos cabe na realização dos nossos sonhos de progresso.

50

PAZ EM TEMPOS AGITADOS

Diante dos acontecimentos que estamos vivendo, torna-se necessário um esforço firme e persistente para mantermos nosso equilíbrio.

Mesmo porque, se nos deixarmos levar pelas ondas do desconforto e mergulharmos nos problemas que estão assolando o mundo, além de não conseguirmos melhorar a situação, também afundaremos na perturbação emocional e espiritual.

Diante de tantas injustiças e provocações da ignorância, muitas vezes nos indignamos e damos uma de heróis, pelo menos dentro da nossa cabeça, buscando soluções nem sempre viáveis e nos atormentamos sem ter poder para resolvermos nada.

Essa situação já foi prevista por vários profetas que se referiam ao fim dos tempos e, segundo meus amigos espirituais, significa uma mudança de ciclo evolutivo.

Agora é o momento da faxina daqueles que não querem nada com o bem e suas energias ruins estão impedindo a Nova Era. Eles já estão sendo expurgados, depois da morte do corpo não mais reencarnarão na Terra.

Estamos vivendo um momento delicado. Apesar de a grande maioria das pessoas desejar o bem, ainda conservamos pontos fracos, problemas mal resolvidos de outros tempos, falta de controle mental, emocional e com facilidade nos deixamos envolver pelo destempero, dramatizando os problemas, nos impressionando muito com as aparências.

Com raras exceções, uns mais, outros menos, conforme o nível de amadurecimento, estamos todos dentro desse conceito.

Acredite você ou não, essas energias tumultuadas estão à nossa volta e pela lei de afinidade podem invadir nosso corpo e causar sérios problemas em todas as áreas de nossas vidas.

Mas isso só vai acontecer se nos deixarmos levar pelas ideias dos outros, criticando ou querendo ensiná-los a serem melhores e com isso nos ligando exatamente ao que desejamos evitar.

Nosso progresso espiritual está sendo avaliado. É hora de cada um fazer a parte que lhe cabe, cuidar do seu mundo interior, observar como a vida funciona para entender um pouco mais e poder situar-se melhor no momento presente.

É justo termos o cuidado de nos proteger da maldade alheia utilizando todos os meios ao nosso alcance, evitando criar problemas, não se impressionando com o que os outros dizem, não interferindo na vida de ninguém na certeza de que a vida tem meios de resolver tudo muito melhor do que cada um de nós.

Mesmo em família é preciso evitar confrontos e manter a paz. Quando o diálogo não é possível, é melhor não insistir, envolver a pessoa com a luz do seu amor e pedir ajuda espiritual.

Este é um momento de reflexão e você pode fazer a diferença contribuindo para a paz mantendo um padrão mental otimista, acreditando nas leis divinas que estão cuidando de tudo. O mal já nasce morto, mas enquanto está circulando, precisamos estar atentos para não sermos atingidos.

Cuide de seus pensamentos. Seja qual for sua crença, busque iluminação e derrame à sua volta a luz da espiritualidade com intensidade e fé.

Estou certa de que sua vida se inundará de progresso, você atravessará este momento delicado com segurança e, conforme a promessa divina será um dos mansos que herdarão a Terra!

A paz significa a confiança que temos de que o mundo, apesar do caos aparente, está sendo cuidado e está cuidando de nós.

GRANDES SUCESSOS DE
ZIBIA GASPARETTO

Com 20 milhões de títulos vendidos, a autora tem contribuído para o fortalecimento da literatura espiritualista no mercado editorial e para a popularização da espiritualidade. Conheça os sucessos da escritora.

Romances
pelo espírito Lucius

A força da vida
A verdade de cada um
A vida sabe o que faz
Ela confiou na vida
Entre o amor e a guerra
Esmeralda
Espinhos do tempo
Laços eternos
Nada é por acaso
Ninguém é de ninguém
O advogado de Deus
O amanhã a Deus pertence
O amor venceu
O encontro inesperado
O fio do destino
O poder da escolha
O matuto
O morro das ilusões
Onde está Teresa?
Pelas portas do coração
Quando a vida escolhe
Quando chega a hora
Quando é preciso voltar
Se abrindo pra vida
Sem medo de viver
Só o amor consegue
Somos todos inocentes
Tudo tem seu preço
Tudo valeu a pena
Um amor de verdade
Vencendo o passado

Crônicas

A hora é agora!

Bate-papo com o Além

Contos do dia a dia

Conversando Contigo!

Pare de sofrer

Pedaços do cotidiano

O mundo em que eu vivo

Voltas que a vida dá

Você sempre ganha!

Coletânea

Eu comigo!

Recados de Zibia Gasparetto

Reflexões diárias

Desenvolvimento pessoal

Em busca de respostas

Grandes frases

O poder da vida

Vá em frente!

Fatos e estudos

Eles continuam entre nós vol. 1

Eles continuam entre nós vol. 2

Sucessos
Editora Vida & Consciência

Agnaldo Cardoso

Lágrimas do sertão

Amadeu Ribeiro

A herança
A proposta
A visita da verdade
Cinco vidas, uma história
Depois do fim
Juntos na eternidade
Laços de amor
Mãe além da vida
O amor não tem limites
O amor nunca diz adeus
O preço da conquista
Reencontros
Segredos que a vida oculta vol.1
A beleza e seus mistérios vol.2
Amores escondidos vol. 3
Seguindo em frente vol. 4
Doce ilusão vol. 5
Bastidores de um crime vol. 6

Amarilis de Oliveira

Além da razão (pelo espírito Maria Amélia)
Do outro lado da porta (pelo espírito Elizabeth)
Nem tudo que reluz é ouro (pelo espírito Carlos Augusto dos Anjos)
Nunca é pra sempre (pelo espírito Carlos Alberto Guerreiro)

Ana Cristina Vargas

pelos espíritos Layla e José Antônio

A morte é uma farsa
Almas de aço
As aparências enganam
Código vermelho
Em busca de uma nova vida
Em tempos de liberdade
Encontrando a paz
Escravo da ilusão
Ídolos de barro
Intensa como o mar
Loucuras da alma
O bispo
O quarto crescente
Sinfonia da alma

Carlos Torres

A mão amiga
Passageiros da eternidade
Querido Joseph (pelos espírito Jon)
Uma razão para viver

Cristina Cimminiello

A voz do coração (pelo espírito Lauro)
Além da espera (pelo espírito Lauro)
As joias de Rovena (pelo espírito Amira)
O segredo do anjo de pedra (pelo espírito Amadeu)
A lenda dos ipês (pelo espírito Amira)

Eduardo França

A escolha
A força do perdão
Do fundo do coração
Enfim, a felicidade
Um canto de liberdade
Vestindo a verdade
Vidas entrelaçadas

Floriano Serra

A grande mudança
A outra face
Amar é para sempre
A menina do lago
Almas gêmeas
Marcado pelo passado
Ninguém tira o que é seu
Nunca é tarde
O mistério do reencontro
Quando menos se espera...

Gilvanize Balbino

De volta pra vida (pelo espírito Saul)
Horizonte das cotovias (pelo espírito Ferdinando)
O homem que viveu demais (pelo espírito Pedro)
O símbolo da vida (pelos espíritos Ferdinando e Bernard)
Salmos de redenção (pelo espírito Ferdinando)

Jeaney Calabria

Uma nova chance (pelo espírito Benedito)

Juliano Fagundes

Nos bastidores da alma (pelo espírito Célia)
O símbolo da felicidade (pelo espírito Aires)

Lucimara Gallicia

pelo espírito Moacyr

Ao encontro do destino

Márcio Fiorillo

pelo espírito Madalena

Lições do coração
Nas esquinas da vida

Maurício de Castro

A outra (pelos espíritos Hermes e Saulo)
Caminhos cruzados (pelo espírito Hermes)
O jogo da vida (pelo espírito Saulo)
Sangue do meu sangue (pelo espírito Hermes)

Meire Campezzi Marques

A felicidade é uma escolha (pelo espírito Thomas)
Cada um é o que é (pelo espírito Thomas)
Impossível esquecer (pelo espírito Ellen)
Na vida ninguém perde (pelo espírito Thomas)
Os desafios de uma suicida (pelo espírito Ellen)
Uma promessa além da vida (pelo espírito Thomas)

Rose Elizabeth Mello

Como esquecer
Desafiando o destino
Livres para recomeçar
Os amores de uma vida
Verdadeiros Laços

Sâmada Hesse

pelo espírito Margot

Revelando o passado
Katie: a revelação

Thiago Trindade

pelo espírito Joaquim

As portas do tempo
Com os olhos da alma
Confronto final
Maria do Rosário
Samsara: a saga de Mahara

Conheça mais sobre espiritualidade com outros sucessos.

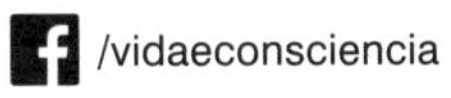

vidaeconsciencia.com.br /vidaeconsciencia @vidaeconsciencia

ZIBIA GASPARETTO
Romance ditado pelo espírito Lucius
Ninguém é de ninguém
Ninguém é
de ninguém
ZIBIA GASPARETTO
Romance ditado pelo espírito Lucius
NOVA EDIÇÃO

Ninguém é de ninguém

Há quem pense que sentir ciúme é provar que se ama ardentemente, mas até descobrir que ele transforma a vida amorosa em dolorosa tragédia, culminando em amarga separação. Se fizermos as contas, perceberemos que sofremos mais com as pessoas que amamos do que com aquelas que nos odeiam. O que você chama de amor não será apenas paixão? Você vive se inferiorizando por não conseguir atingir seus vaidosos ideais e sempre escolhe alguém que terá a terrível tarefa de fazê-lo sentir-se melhor? Tortura essa pessoa para que ela lhe dê uma exaustiva atenção, a mesma que você se nega? Luta para ser o dono absoluto do outro, como se o fato de gostar lhe desse esse direito?

Esta história o fará refletir sobre o falso e o verdadeiro amor e perceber que a vida afetiva é um constante exercício de autodomínio. No final, você descobrirá que só possui a si mesmo, pois ninguém é de ninguém!

ZIBIA GASPARETTO
A hora é agora!
A hora é
agora!
Desperte para os bons pensamentos e viva em paz
ZIBIA GASPARETTO

ZIBIA GASPARETTO
O poder da vida
O poder
da vida
ZIBIA GASPARETTO
AUTORA COM MAIS DE 18 MILHÕES DE LIVROS VENDIDOS

O poder da vida

Ao longo de minha vida, tive contato com muitas pessoas e, consequentemente, com muitas histórias, que vinham até mim por meio de cartas, *e-mails*, ligações telefônicas realizadas para meu extinto programa na Rádio Mundial e por meio de conversas informais. A cada história com que tinha contato, a cada pergunta que me era feita sobre os mistérios que cercam nossa existência, tive a oportunidade de refletir sobre essa experiência poderosa que é viver. A cada resposta que encontrava para as questões que eram feitas a mim, eu também encontrava respostas para minhas perguntas, e nessa troca com o outro aprendi mais do que ensinei. Tendo isso em mente, decidi dividir com vocês, leitores que me acompanham há tantos anos, algumas lições que me ensinaram a descobrir o verdadeiro poder da vida.

Zibia Gasparetto

ZIBIA GASPARETTO

Eu comigo!

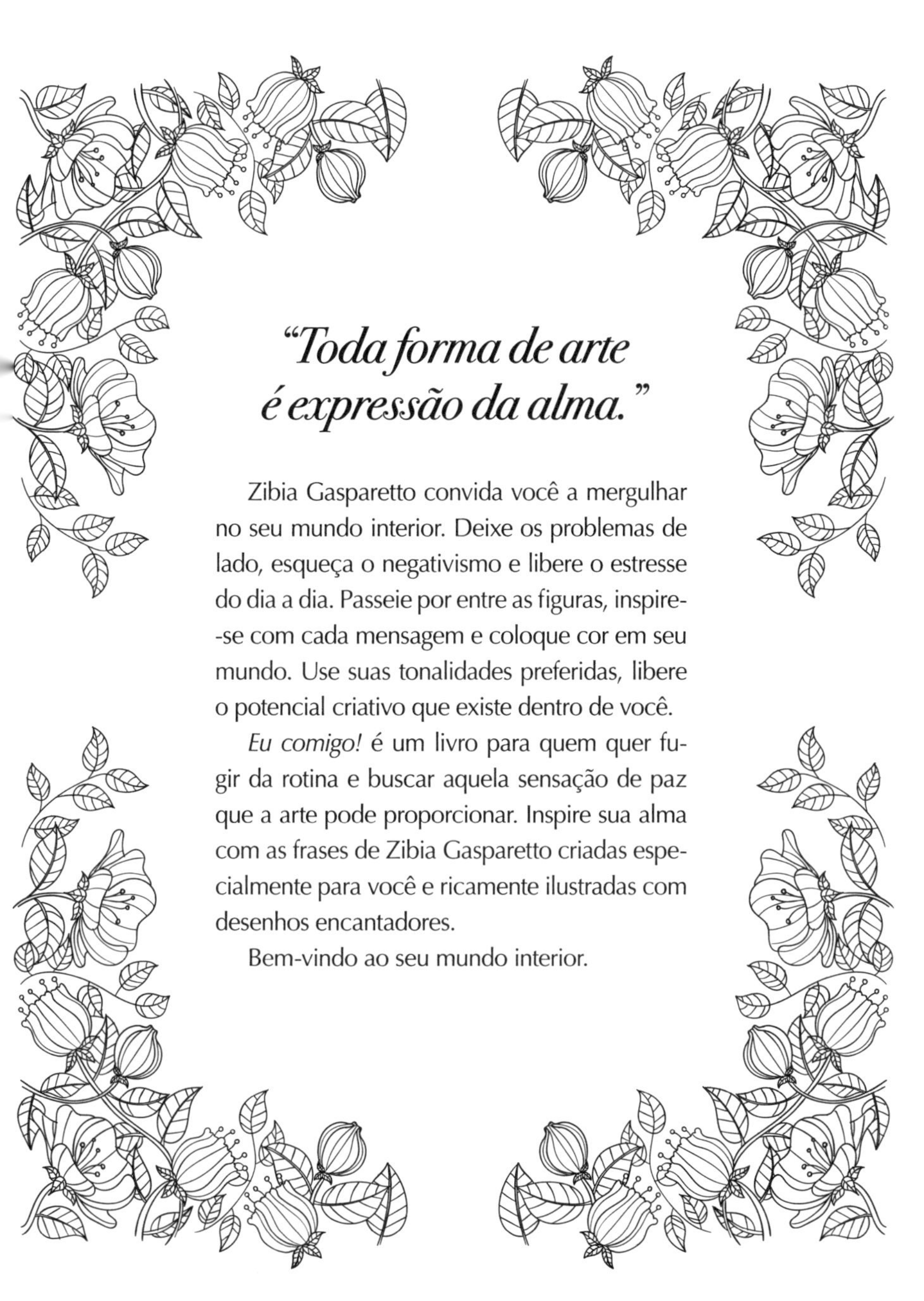

“Toda forma de arte é expressão da alma.”

Zibia Gasparetto convida você a mergulhar no seu mundo interior. Deixe os problemas de lado, esqueça o negativismo e libere o estresse do dia a dia. Passeie por entre as figuras, inspire-se com cada mensagem e coloque cor em seu mundo. Use suas tonalidades preferidas, libere o potencial criativo que existe dentro de você.

Eu comigo! é um livro para quem quer fugir da rotina e buscar aquela sensação de paz que a arte pode proporcionar. Inspire sua alma com as frases de Zibia Gasparetto criadas especialmente para você e ricamente ilustradas com desenhos encantadores.

Bem-vindo ao seu mundo interior.

www.vidaeconsciencia.com.br

Rua das Oiticicas, 75 – SP
55 11 2613-4777

contato@vidaeconsciencia.com.br
www.vidaeconsciencia.com.br